AF607343

Primera edición, junio de 2021

info@westindies.eu

Corrección y maquetación: Colectivo Fut i makak
Traducción: Nicolás Tasín
Ilustración de portada e interiores: María Ballester Iniesta

ISBN: 978-9949-7478-2-5
Impreso en España – Printed in Spain

Capitán Kablukov

y otros relatos

Leonid Nikoláyevich Andréyev

West Indies
Publishing Company

ÍNDICE

EL CAPITÁN KABLUKOV

I

A través de los cristales cubiertos de hielo penetraban los rayos matutinos del sol invernal e inundaban de una luz fría, pero alegre, los dos aposentos que, con la cocina, constituían la morada del capitán Nicolás Ivanich Kablukov y su asistente Kukuchkin.

Nicolás Ivanich estaba bebiendo, a sorbitos, te muy caliente, en un vaso, cuya cubeta de plata constituía, con la cucharilla del mismo metal, el único lujo de su ajuar.

—¡Kukuchkin! —gritó.

Pero el asistente no dio muestras de haber oído su ronca voz.

—¡Kukuchkin!

El asistente acudió al fin. Le habían dedicado al servicio doméstico a causa de su estupidez. Tenía la cabeza pequeña, las orejas muy grandes, el cuerpo desgarbado y flaco.

—¿Por qué no acudes en seguida que se te llama? ¡Pareces tonto!

—¡A la orden, mi capitán!—gruñó el soldado.

—¡Levanta esa cabeza! ¡Mira de frente!... ¿Estás borracho?

—Sin dinero, mi capitán, mal puede uno emborracharse.

Nicolás Ivanich no quería enfadarse. Se encogió de hombros y le dijo a Kukuchkin que le llevase vodka y algo de comer, y encendiese la chimenea.

—¿Qué es esto?—preguntó cuando el asistente, momentos después, colocó sobre la mesa, amén de la garrafa de vodka y una lata de sardinas, una taza muy charra, probablemente de su propiedad particular.

—Como no hay copa...

—¡Imbécil! ¿Por qué no le has pedido una a la casera?

Mientras el asistente, en cuclillas ante la chimenea, se veía y se deseaba para encender la leña húmeda de nieve, Nicolás Ivanich hacía una lista de bebidas y comestibles. Pensaba invitar a algunos amigos a celebrar con él la Nochebuena. De la importancia primordial que le daba, en sus proyectos de anfitrión, a las bebidas se inducía que no le dedicaba la fiesta al sexo débil. Las mujeres no le preocupaban. Las únicas a quienes trataba, las de sus compañeros de regimiento—con las que jugaba a veces al tresillo—, no eran, a sus ojos, mujeres.

Terminada la lista, se la alargó a Kukuchkin con cierto aire de satisfacción, como quien espera que le feliciten por su acierto; pero el otro se limitó a decir:

—¡A la orden, mi capitán!

El capitán notó algo extraño en su acento y en su mirada, y de no considerarle un zote y creerle, por ende, incapaz de la ironía, hubiera calificado de irónicos su mirada y su acento.

Aunque el importe de las bebidas y los comestibles enumerados en la lista no pasaba de diez rublos, le dio un billete de veinticinco, pues no tenía otro dinero. Y para animarle un poco y despertar en él cierto interés por la realidad, le obsequió con una taza de vodka, so pretexto de que hacía frío y había que entrar en calor. Kukuchkin, luego de santiguarse, se bebió el vodka; pero no escupió después, ni dio las gracias, como acostumbraba: se limitó a secarse los labios de un modo violento, furioso, como si quisiera borrar todo vestigio de su capitulación vergonzosa ante el vodka de su señor.

Momentos después, el capitán le oyó marcharse. «¡Vaya un portazo!—se dijo—. ¿Qué mosca le habrá picado? Está como loco. Me falta al respeto; la casera se queja de sus groserías...»

Pero no tardó en olvidar tales naderías, pensando en lo que iba a divertirse al día siguiente por la noche.

Después de beberse dos copas más de vodka y pasearse un poco a través de la estancia, cogió un cajón vacío, lo colocó delante de la chimenea y se sentó en él. Las amarillas lenguas de fuego lamían, lánguidas, los leños, que silbaban como enfurecidos.

Nicolás Ivanich recordó otra mañana, distante veinte años de aquella, en que también se había sentado en un cajón, junto al fuego. Acababa entonces de llegar a aquella ciudad e ingresar en aquel maldito regimiento, donde se ascendía tan despacio. Entonces aún no estaba calvo y su rostro no estaba rojo y abotagado como ahora. Y el fuego, en su lenguaje misterioso, decía otras cosas menos cuerdas: hablaba de la Academia de Estado Mayor, de una novia distinguida y bella, de saraos espléndidos, en los que de Kablukov, esbelto y elegante, bailaba a las mil maravillas y discreteaba con su pareja.

¡Bailar!... El capitán miró la pronunciada curva de su vientre, se imaginó a sí mismo bailando con una señorita y se sonrió. ¡Sería un espectáculo digno de verse!

«¡Estoy bien así!—dijo en alta voz—, ¿Qué me falta?»

Y para probarse que era feliz se bebió otra copa de vodka.

Paseándose de nuevo a través de la estancia, fue apartando su pensamiento de aquel optimista «¿Qué me falta?» y derivándolo hacia cosas para él de menos monta. El tesorero del regimiento, aunque polaco, era un buen hombre. El judío Abramka le había hecho al teniente Ilin un par de botas detestable...

Desde hacía algunos años, Nicolás Ivanich trataba de convencerse de que no le faltaba nada; pero necesitaba, para conseguirlo del todo, la ayuda del alcohol; en cuanto tenía en el cuerpo dos o tres copas de vodka, su habitación sucia y desnuda le parecía confortable, y no reparaba en que se había vuelto un adán y se pasaba semanas enteras sin mudarse de camisa ni limpiarse las uñas. O se decía: «¡Bah! ¡No tengo que conquistar a ninguna muchacha!». El vodka le ayudaba a conformarse con no ser más que capitán a los cincuenta años, mientras que no pocos compañeros suyos de promoción eran coroneles o generales. Cuando había bebido, no le entristecía el llevar veinticinco años enseñando la instrucción y el haber ido perdiendo, en su transcurso, cuanto había en él de elevado y de noble. El alcohol interponía entre él y la vida real una ligera niebla, que le velaba todo lo que no fuese la cuarta compañía del batallón de reserva, con su zapatero Abramka, sus partiditas de monte, su coronel ordenancista...

Pero a veces —dos o tres veces al año— ocurría que el *vodka* dejaba de ser su aliado y se convertía en su peor enemigo. Entonces la conciencia de la estupidez de su vida le hacía sufrir horriblemente. Y él, para olvidar, se entregaba una o dos semanas a la embriaguez. Durante ese tiempo no salía de casa; se pasaba el día entero en camisa de dormir, junto a la garrafa, abotagado el rostro, los ojos huraños.

«¡Esta vida me ha perdido para siempre!», les decía llorando a los compañeros que iban a verle.

Cuando sus compañeros le abandonaban, llamaba a su asistente y le decía en tono severo que él era un hombre incomprendido. Y cuando su asistente le abandonaba también, apoyaba un brazo en la mesa y la frente en el brazo y lloraba en silencio, sin saber por qué, pero con un dolor profundo.

Pasados estos períodos de embriaguez, le avergonzaba el recordarlos. Y le enternecía el pensar en la paciencia de Kukuchkin, a quien, en sus momentos de exasperación, le tiraba vasos y garrafas a la cabeza. Por eso no le despedía aunque, como criado, era una verdadera calamidad: rompía cuanto tocaba e interpretaba sus órdenes de una manera tan fantástica, que los demás asistentes se desternillaban de risa. Luego de beberse otra copa, el capitán se fue al cuartel, dejándole la llave al ama de la casa, que vivía en el piso de al lado.

Cuando se retiró, ya cerca de la media noche, Kukuchkin no había vuelto aún.

Y a la noche siguiente, no mucho antes de la hora a que debían ir los invitados, seguía el asistente sin aparecer por la casa.

II

Guardada la lista de bebidas y comestibles en la ancha manga de su capote, salió Kukuchkin a la calle. El frío intenso le hizo acelerar el paso, de ordinario lento, tan lento, que había sido uno de los motivos de que hasta cierto punto se le desmilitarizase. El vodka que había bebido no había disipado su mal humor. Tropezó al doblar una esquina con una vieja y en vez de disculparse la envió a los infiernos. Luego tuvo una seria agarrada con un cochero, cuyo caballo había estado a pique de atropellarle.

Todo cuanto veía provocaba sus protestas o sus sarcasmos. Y las gentes en cuyo rostro se pintaba la alegría de vivir despertaban en su corazón un odio africano.

«¡Cerdo!—gruñó al ver, en su trineo, a la puerta de una tienda de ultramarinos, a un señor rodeado de paquetes—, ¡Cerdo! ¡Comilón!»

Le parecía injusto e ilógico que el capitán le obligase a hacer las compras en una tienda de extramuros, o poco menos, habiéndolas muy buenas en el centro de la ciudad.

«¡Vaya unos caprichos!», rugió.

Y escupió con furia.

En aquel momento pasaba por delante de una taberna.

«¿Y si entrase?», le preguntó a un ser invisible, pero que, sin duda, se oponía a su deseo.

Y empujó desdeñosamente con el pie la puerta del establecimiento.

Momentos después salió, altivo, arrogante, retador, murmurando:

«Me he bebido una copa, ¿y qué? ¡Nadie tiene derecho a pedirme cuentas!»

Pero a los pocos pasos de la taberna vió de lejos a un oficial, y se apresuró a cuadrarse y a hacer el saludo de ordenanza.

Al pasar por el puente —pues la tienda favorita del capitán estaba al otro lado del río—divisó, más allá del bosque de humeantes chimeneas, el campo, inundado de sol. A la derecha de la carretera se esfumaba en una niebla azul la arboleda...

«¡Y yo en esta jaula!», pensó Kukuchkin con desesperación.

Hacía tres semanas se había encontrado en el mercado a un campesino de Sobakino, su aldea natal, su paraíso perdido. Y había sabido por él que su mujer había dado a luz una niña; pero que estaba demasiado débil para amamantarla y la criaba con biberón; que, por más que su padre y su hermano se mataban a trabajar, la falta de brazos disminuía sobremanera las cosechas y el pan escaseaba; que si él no les enviaba algún dinero, se morirían de hambre.

Kukuchkin le dio un rublo al campesino para su padre. Se apoderó de él la desesperación más negra. Se imaginó el cuadro desolador de su familia en la miseria. Y conforme se iba acercando Navidad, más turbaba aquel cuadro su alma.

«Mientras ellos se mueren de hambre por falta de brazos—se decía—, yo estoy aquí comprándole buenos bocados al capitán.»

Hubo un momento en que hasta tuvo tentaciones de desertar; pero comprendió que hubiera sido una estupidez, y desistió.

Ya cerca de la tienda donde debía hacer las compras, pensó de pronto; «¿Y si me quedara con el dinero?» Esta idea la asustó tanto, que se santiguó apenas nacida en su cerebro. «¡Dios me libre!—murmuró—. ¡Sólo faltaba eso! ¡Nunca ha habido ladrones en la familia, y no seré yo el que la deshonre!»

Apresuró el paso; pero al meterse la mano en el bolsillo y tocar el billete lo acortó, preguntándose;

«¿Y si dijera que lo he perdido?»

Horrorizado, volvió a santiguarse y se lanzó hacia la puerta más próxima.

Era la puerta de una taberna.

III

Nicolás Ivanich, inquieto y furioso al ver que Kukuchkin no volvía, les hizo saber a los amigos que se disponían a ir a su casa que el asistente había desaparecido con el dinero; pero cuando, cumplido tan penoso deber, tornó a su domicilio, encontró a Kukuchkin en la cocina, sentado en el banco, sobre el que se tambaleaba su desmedrado cuerpo, y dedicado con entusiasmo a la tarea de sacarle brillo a una bota.

—¿Dónde has estado estos dos días, sinvergüenza? ¡Menuda borrachera traes!

—No, mi capitán.

—Conque no, ¿eh?

—Además, estoy en mi derecho.

—¡Cómo! ¿Te atreves, encima, a insolentarte?

—¿A insolentarme? Decir la verdad no es insolentarse.

—¿Y el dinero? ¿Qué has hecho del dinero?

—Lo he perdido.

El capitán levantó los brazos con desesperación y clavó, inquisitorialmente, sus ojillos hinchados en los de Kukuchkin.

—¡Lo has robado! No lo niegues...

—Si usted cree que lo he robado... haga de mí lo que quiera... denúncieme... Es bien fácil perder a un hombre.

Y Kukuchkin se echó a llorar.

El capitán, loco de rabia, rechinando los dientes, gritó:

—¡Vete a dormir, animal! Mañana te mandaré al calabozo.

—Haga usted de mí lo que quiera, pero soy inocente.

—¡Cállate, granuja!

El capitán dio una terrible patada en el suelo y se fue a su cuarto. Kukuchkin reanudó su tarea betuneril; pero no tardó en tenderse cuan largo era en el banco.

«A esto ha quedado reducida la fiesta con que yo había soñado —suspiró Nicolás Ivanich, un tanto aplacada su cólera merced a una expansiva serie de maldiciones—. Verdaderamente, el Destino es demasiado cruel conmigo.»

Y decidió buscar consuelo en el fondo de la garrafa. A medida que su contenido disminuía parecíale al capitán que las paredes de la estancia se ensanchaban. Imágenes pretéritas, olvidadas ya, turbaron de nuevo su alma. Una mujer soñada, que era la dama de sus pensamientos desde hacía muchos años, se le apareció, pura, hechicera. «¡Amor mío!», murmuró, besando con sus gruesos labios el aire.

Imaginó luego estar a la orilla de un río, por cuyo cauce iban pasando para no volver más, como ondas fugitivas, todos sus sueños de ventura. Y conforme pasaban se ponía más triste y se tenía más lástima. Nadie le necesitaba en el mundo; en ningún corazón había despertado amor, ni siquiera piedad; ninguna mirada se detenía con cariño en su rostro abotagado de borracho; nunca unas manos infantiles habían acariciado su cuello apoplético. Ni siquiera la amistad de un perro le consolaba.

Por una extraña asociación de ideas, pensó en Kukuchkin. Kukuchkin le quería. Pero, ¿qué había hecho él para merecer su cariño?... Kukuchkin...

El capitán se levantó, cogió el quinqué y, con paso no muy firme, se dirigió a la cocina.

El asistente, tendido en el banco, dormía, colgante una mano, casi tocando al suelo, y en la otra la bota. Estaba muy pálido.

Nicolás Ivanich no le había visto nunca dormido. No se había fijado nunca en las ligeras arrugas de aquel rostro afeitado, que le parecía desconocido, pero más simpático que el que veía siempre, pues era el verdadero, el natural, el humano...

Volvió de puntillas a su cuarto y miró, asombrado, en torno suyo: parecía que tampoco el cuarto era ya el mismo.

Media hora después se le oyó gritar:

—¡Kukuchkin!

Su voz ronca sonaba de un modo nuevo, extraño.

Kukuchkin abrió los ojos, se levantó y entró, con paso tímido, en la habitación de su señor, cuyas órdenes esperó inmóvil, la cabeza baja, a corta distancia de la puerta.

«¿Y yo me he enfurecido con este pobre hombre?», pensó el capitán. Y repitió:

—¡Kukuchkin!

Los dedos del asistente se agitaron.

—¿Has robado el dinero?

-Sí...

—Habrá que denunciarte...

— Mi capitán: ¡no me pierda usted!

El capitán se levantó, se acercó a Kukuchkin y le puso las manos en los hombros.

—¡Tonto! —dijo—. ¿Me crees capaz...?

Y girando sobre sus talones, se dirigió a la ventana

y se puso a mirar a la calle, como si en aquella oscura noche pudiera verse algo. Momentos después sacó el pañuelo y se lo llevó a los ojos.

—¡Mi capitán!

—¿Qué? —preguntó Nicolás Ivanich, sin volverse.

—Mi capitán... castígueme usted.

—No digas tonterías...

Y como en aquel momento el capitán girase de nuevo sobre sus talones, el asistente corrió hacia él, se prosternó a sus pies e intentó abrazarse a sus piernas. Nicolás Ivanich, pintados a la vez en el rostro la alegría y el dolor, le levantó y le dió un beso en los crespos cabellos.

—¡Tú me has tomado por un cura! —bromeó, retirando la mano, que el otro intentaba besarle—. ¡Déjate de monaguilladas y echa un poco de vodka en la garrafa, que está vacía!

Kukuchkin, veloz como un rayo, cogió la garrafa y voló con ella hacia la puerta; pero, ¡horror!, el honrado frasco, que tan buenos servicios le había prestado durante diez años a su amo, describió en el aire una curva lenta, meditabunda, se decidió al fin a caer y se hizo añicos contra las losas.

—¡Bah, no te apures! —gritó el capitán—. ¡Ve a la taberna por una botella!

Todo el mundo duerme hace tiempo. Solo se ve luz en las ventanas del capitán Kablukov, cuyos cuadrángulos se proyectan, amarillentos, sobre la nieve.

—¿Conque has enviado el dinero a tu aldea?

—Sí, mi capitán... Yo se lo iré devolviendo a usted... Trabajaré.

El capitán lanza una bocanada de humo, se arrellana en su sillón y, completamente feliz, cierra los ojos. Kukuchkin, sentado en el borde de una silla, la boca entreabierta, escucha sus palabras con una atención religiosa.

—Habrán tenido un alegrón en tu casa, ¿verdad?

—¡Figúrese usted, mi capitán!

La Nochebuena es negra y larga; pero al fin capitula ante la fuerza invencible del Sol.

Apunta el día.

El capitán y su asistente se disponen a acostarse. Kukuchkin descalza a su amo, tirándole de las botas con tal ímpetu que le pone en peligro de caerse del cajón en que se ha sentado.

Luego, estrechando cariñosamente las botas, de agujereadas suelas, contra su corazón, se dirige a la puerta.

—Oye... ¿Conque eres padre de una niña?

—Sí, mi capitán... Le han puesto Advotia.

—Muy bien... Buenas noches.

Han pasado unos cuantos días y no se ha vuelto a ver a Kukuchkin ir por vodka para su amo. Sus viajes a la taberna, que eran una parte tan esencial de su servicio, han terminado, sin duda, para siempre.

LOS ESPECTROS

I

Cuando ya no cupo duda de que Egor Timofeievich Pomerantzev, el subjefe de la oficina de Administración local, había perdido definitivamente la razón, se hizo en su favor una colecta, que produjo una suma bastante importante, y se le recluyó en una clínica psiquiátrica privada. Aunque aún no tenía derecho al retiro, este le fue concedido, en atención a sus veinticinco años de irreprochables servicios y a su enfermedad. Gracias a la colecta, tenía con lo que pagar su estancia en la clínica hasta su muerte: no había la menor esperanza de curarle.

Al comienzo de la enfermedad de Pomerantzev, su mujer, de quien se había separado hacía quince años, pretendió tener derecho a su pensión. Para conseguirla, hasta hizo que un abogado litigara en su nombre; pero perdió la causa, y el dinero quedó a la disposición del enfermo.

La clínica se hallaba fuera de la ciudad. Al lado del camino, su aspecto exterior era el de una simple casa de campo, construida a la entrada de un bosquecillo. Como en la mayoría de las casas de campo, su segundo piso era mucho más pequeño que el primero. El tejado era muy alto, y tenía la forma de hacha invertida. Los días de fiesta, para alegrar a los enfermos, se izaba en él una bandera nacional.

En las mañanas apacibles de primavera y de otoño llegaban de la ciudad los sones apagados de las campanas y el ruido sordo de los coches; pero, en general, un silencio profundo reinaba en torno de la clínica, más profundo que en la aldea próxima, donde se oían los ladridos de los perros y los gritos de los niños. Allí no había ni perros ni niños. La casa estaba rodeada de un alto muro. Alrededor se extendía una pradera, que pertenecía a la clínica y se hallaba siempre desierta. A cosa de una versta se alzaba, entre los árboles, la estrecha chimenea de una fábrica, de la que no se veía nunca salir humo. La fábrica, perdida en medio del bosque, parecía abandonada.

Muy pocos de los que transitaban por el camino sabían que tras el alto muro y las puertas cerradas había locos. Los demás —los campesinos que pasaban en sus cochecillos saltarines, los cocheros procedentes de la ciudad, los ciclistas, siempre apresurados sobre sus máquinas silenciosas— estaban habituados a ver el alto muro y no reparaban en él. Si cuantos se encontraban en su recinto se hubieran escapado o se hubieran muerto de repente, se habría tardado mucho en advertirlo —los campesinos en sus cochecillos y los ciclistas sobre sus máquinas silenciosas hubieran seguido pasando por delante del muro sin sospechar nada—.

El doctor Chevirev no admitía en su clínica a locos furiosos, por eso reinaba en ella el silencio como en cualquier casa respetable, habitada por gentes bien educadas. El único ruido que se oía a todas horas, desde que, hacía ya diez años, se había abierto la clínica, era tan regular, suave y metódico que no se advertía, como no se advierten los latidos del corazón o el acompasado sonido de un péndulo. Lo producía un enfermo que llamaba a la puerta cerrada de su habitación. Estuviera donde estuviera, siempre encontraba alguna puerta a la que empezaba a llamar, aunque bastase empujarla ligeramente para que se abriese. Si se abría, buscaba otra y empezaba a llamar de nuevo; no soportaba las puertas cerradas. Llamaba de día y de noche, sin poder apenas tenerse en pie por el cansancio. Probablemente, la persistencia de su idea fija le había hecho adquirir el hábito de llamar también durante el sueño; al menos, el ruido regular y monótono que hacía no cesaba en toda la noche. Además, no se le veía nunca en la cama, y se suponía que dormía de pie, al lado de la puerta.

En fin, había gran tranquilidad en la clínica. Muy raras veces, casi siempre durante la noche —cuando el bosque invisible, sacudido por el viento, lanzaba gemidos lastimeros— alguno de los enfermos, presa de una angustia mortal, empezaba a dar gritos. Por lo general, se acudía con presteza a calmarlo; pero ocurría en ocasiones que el terror y la angustia eran tales que resultaban ineficaces todos los calmantes, y el enfermo seguía gritando. Entonces, la angustia se contagiaba a todos los habitantes de la clínica, y los enfermos, como si fuesen muñecos mecánicos a los que se hubiera dado cuerda a la vez, empezaban a recorrer nerviosamente sus habitaciones, agitando los brazos y diciendo cosas estúpidas e ininteligibles. Todos, incluso los enfermos más apacibles, llamaban violentamente a las puertas e insistían en que se los dejase libres.

Asustada, a punto de perder el juicio, la enfermera llamaba entonces por teléfono al doctor Chevirev, que se encontraba en el restaurante Babilonia, donde acostumbraba a pasar las noches. El doctor poseía el don de tranquilizar a los enfermos solo con su presencia. Pero hasta mucho tiempo después de su llegada, los enfermos balbuceaban cosas fantásticas detrás de la puerta de su cuarto y la clínica parecía un gallinero donde hubiera entrado, durante la noche, una zorra.

No obstante, esto ocurría raras veces y no se advertía desde afuera, porque el camino, por la noche, estaba completamente desierto. Además, los gritos, al través de los muros, parecían de hombres que estaban de broma, a lo que contribuían no poco ciertos enfermos, que cantaban en sus momentos de crisis.

II

La habitación de Pomerantzev estaba arriba, y su ventana daba al bosque. En verano, cuando penetraba por la ventana abierta el aroma de los pinos y de las acacias y se veía sobre la mesa un vaso con flores, diríase que, en efecto, era aquello una casa de campo. Adornaban las paredes tres cuadros que Pomerantzev había llevado, así como un gran retrato de su hijo, muerto de difteria hacía mucho tiempo; todo esto daba a la habitación un aspecto muy agradable.

Pomerantzev estaba muy satisfecho de su cuarto, y se pasaba largos ratos contemplando los cuadros: uno representaba a una muchacha guardando unos patos; otro, a un ángel bendiciendo la ciudad; y el tercero, un muchacho italiano. Invitaba a todos a visitar su cuarto, y tenía una singular complacencia en que el doctor Chevirev fuese a verle lo más a menudo posible. Si alguien —los enfermos o el doctor—

se resistía a visitarle, recurría a pequeñas astucias: aseguraba que en su cuarto había un ruiseñor que cantaba admirablemente. De esta manera procuraba atraer a la gente a su habitación. Los enfermos estaban tan encantados como él de su aposento, y cuando les daba por elogiar la clínica, hablaban de él en primer término.

Desde un principio, Pomerantzev se percató de que se hallaba en una casa de locos, pero le tenía sin cuidado: estaba seguro de que, si quisiera, podía convertirse en espíritu puro y volar así por todo el mundo. Los primeros días de su estancia en la clínica volaba cotidianamente a la ciudad, a su oficina; pero después le requirieron quehaceres de más monta, y no atendió ya a su oficina, por falta de tiempo.

Era de alta estatura y enjuto; tenía el pelo espeso, muy negro y enmarañado; era miope y llevaba lentes muy gruesos. Cuando se reía enseñaba no solo los dientes, sino las encías también, lo que producía el efecto de que la risa rebosaba en todo su ser. Se reía con mucha frecuencia. Tenía voz de bajo profundo.

No tardó en trabar amistad con todos los demás enfermos, y ocupó entre ellos un lugar de mucho relieve. Se constituyó en protector de sus compañeros de clínica. Se imaginaba ser un personaje muy importante, de una posición muy elevada; sin embargo, no tenía un concepto preciso de cuál era tal posición, y sus ideas sobre ella cambiaban muy frecuentemente: tan pronto se creía el conde Almaviva como el gobernador de la ciudad o un taumaturgo y benefactor de los hombres.

La sensación de un poder enorme, de una fuerza infinita y de una gran nobleza no le abandonaba jamás. Con este motivo ponía en su modo de tratar a la gente una benevolencia de gran señor, y rara vez era severo y arrogante. Sucedía esto cuando le llamaban «Egor», en lugar de «Georgi», como él quería que le llamasen. Entonces se indignaba hasta saltársele las lágrimas, gritaba que se intrigaba contra él y escribía largas quejas al Santo Sínodo y al Capítulo de la Orden de Caballeros de San Jorge. El doctor Chevirev, al recibir una queja de esas, le envió inmediatamente una respuesta oficial en toda regla, en la que le daba una respuesta completamente satisfactoria. Pomerantzev se calmó, y hasta hizo rabiar un poco al doctor, que parecía muy asustado con la queja de su enfermo.

—No hay que apurarse —tranquilizaba este al doctor—. Ya está todo arreglado.

Los enfermos no eran muy numerosos en la clínica:

once hombres y tres mujeres. Vestían como solían hacerlo en su casa, y había que fijarse mucho para darse cuenta de un pequeño desorden en su aspecto exterior, desorden contra el cual Chevirev no podía hacer nada. Llevaban los cabellos, por lo general, bien peinados. Las dos únicas excepciones eran una señora que se obstinaba en llevarlos sueltos, lo que producía una impresión cómica, y un enfermo, llamado Petrov, que llevaba el pelo y la barba muy largos, por miedo a las tijeras, y no permitía que le pelasen, por temor a que le degollaran.

En invierno, los enfermos preparaban por sí mismos un lugar para patinar, y se dedicaban con placer a dicho deporte. En primavera y verano trabajaban en la huerta, cultivaban flores y parecían hombres llenos de salud, normales. En todas estas ocupaciones, Pomerantzev era siempre el primero.

Solo tres de los enfermos no participaban en los trabajos ni en los juegos: Petrov, el de la larga barba; el enfermo que llamaba día y noche a las puertas; y una doncella cuarentona, de nombre Anfisa Andreievna. Durante muchos años había estado empleada como ama de llaves en casa de una condesa, algo parienta suya, donde dormía en una cama muy corta, casi de niño, en la que no podía acostarse sin encoger las piernas. Cuando se volvió loca, creía tenerlas encogidas para toda la vida y encontrarse, por tanto, en la imposibilidad de andar. A toda hora le atormentaba el temor de que cuando muriese la colocaran en un ataúd demasiado corto, donde no pudiera estirar las piernas. Era muy modesta, suave, de lindo rostro exangüe, como se pinta a las monjas y a las santas. Mientras hablaba, sus largos dedos blancos arreglaban los encajes rotos de su peto. Le enviaban muy poco dinero para sus gastos, y llevaba trajes extraños, hacía mucho tiempo pasados de moda. Tenía una confianza absoluta en Pomerantzev, y le rogaba con frecuencia que se cuidase del ataúd cuando ella muriese.

—Es verdad que el doctor me lo ha prometido, pero no tengo gran confianza; su papel es engañarnos, mientras que usted es de los nuestros. Además, no es gran cosa lo que le pido a usted: un ataúd largo costará unos tres rublos más que un ataúd corto. Ya he sacado la cuenta. Pero es preciso que alguien cuide de eso. ¿Usted me lo promete?

—¡Sí, señora! Cuente usted conmigo. Haré una colecta entre los enfermos y se le construirá a usted un mausoleo en el cementerio.

—Muy bien. Un mausoleo; me parece muy bien. Se lo agradezco a usted muchísimo.

Y su pálida faz se coloreaba ligeramente, como blanca nube matutina herida por el primer rayo del sol.

Hacía mucho tiempo que no creía en Dios, y un día que llevaron a casa de la condesa unos iconos, cometió con uno de ellos un horroroso sacrilegio. Con este motivo, se cayó en la cuenta de que había perdido el juicio.

Durante los paseos, que eran obligatorios para todos los enfermos, Petrov se mantenía siempre a distancia por temor a un ataque súbito; en verano llevaba en el bolsillo, para defenderse, una piedra, y en invierno, un pedazo de hielo. El enfermo que llamaba a las puertas se mantenía también a distancia. Después de pasar rápidamente por todas las puertas abiertas, se detenía ante la del jardín y se ponía a llamar a ella, sin apresurarse, insistentemente, de un modo monótono, a intervalos regulares. Al principio de su estancia en la clínica tenía los dedos hinchados y cubiertos de cicatrices, pero con el tiempo se fueron tornando insensibles, la piel se le endureció, y cuando llamaba, se podía creer que sus dedos eran de piedra.

Pomerantzev se creía obligado a charlar un poco con él siempre que lo encontraba.

—¡Buenos días, señor! ¿Sigue usted llamando?

—¡Sí! —respondía el otro, mirando a Pomerantzev con sus grandes ojos tristes y extrañamente profundos.

—¿No abren?

—No —respondía el enfermo.

Su voz era débil, suave, como un eco, y tan extrañamente profunda como sus ojos.

—¡Déjeme usted, voy a abrir! —decía Pomerantzev.

Y empezaba a empujar la puerta, a forzar la cerradura; pero la puerta no cedía. Entonces añadía:

—Descanse usted un poco; mientras tanto, yo llamaré.

Por espacio de algunos minutos, Pomerantzev llamaba concienzuda y enérgicamente con el puño en la puerta. El otro descansaba, frotándose las manos y mirando con ojos asombrados, y al mismo tiempo indiferentes, al cielo, al jardín, a la clínica, a los enfermos. Era de elevada estatura, hermoso y fuerte aún. El viento acariciaba su barba entrecana.

Una vez, se le acercó lentamente Petrov y le preguntó con voz queda:

—¿Hay alguien detrás de la puerta? ¿Quién es?...

—¡Es necesario que la abran!

—¡Qué tontería! ¿Y si entra cuando usted la abre?

—Es necesario que la abran.

—¿Cómo se llama usted?

—No lo sé.

Petrov se rió recelosamente y, apretando el pedazo de hielo que llevaba en el bolsillo, volvió de puntillas a su sitio, detrás de un árbol, donde se sentía en seguridad relativa en caso de un ataque súbito.

En general, los enfermos charlaban mucho y se complacían en la charla, pero apenas habían cambiado las primeras palabras, no se escuchaban ya los unos a los otros, y hablaba cada uno para sí. Merced a esto, sus conversaciones tenían siempre para ellos un gran interés.

Todos los días, el doctor Chevirev se sentaba,

ya al lado de uno, ya al lado de otro, y escuchaba atentamente lo que los enfermos decían. Parecía que también él hablaba mucho; pero, en realidad, nunca decía nada y se limitaba a escuchar.

Todas las noches, desde las diez hasta las seis de la mañana, permanecía en el reataurante Babilonia, y era incomprensible cómo tenía tiempo para dormir, para vestirse con tanto atildamiento, para afeitarse diariamente y aun para perfumarse un poquito.

III

Pomerantzev estaba siempre contento de todo y de todos. Además de estar loco, padecía del estómago, de gota y otras muchas enfermedades; a veces, el doctor lo ponía a régimen; a veces, lo privaba durante un día entero de todo alimento; pero a Pomerantzev todo esto le tenía sin cuidado. Estaba siempre de buen humor, incluso cuando no le daban nada de comer, y se enorgullecía de sus enfermedades, dándole las gracias al doctor Chevirev por la gota, que consideraba una enfermedad noble, con la que su importancia adquiría aún mayor relieve.

El día que el doctor observó por primera vez en él esta enfermedad, se llenó de satisfacción y estuvo todo el día dando órdenes, con grave acento, a los demás enfermos, que se distraían en levantar una montaña de nieve. Se imaginaba ser un general que vigilaba la construcción de una poderosa fortaleza.

No había nada que no mirase con ojos optimistas, y hasta en los males encontraba siempre algo bueno. Una vez, en invierno, se inflamó de repente la chimenea de la clínica; hubo temor a un incendio, y todos los enfermos se asustaron. Solo Pomerantzev se felicitaba; tenía la seguridad de que el fuego había destruido a los malignos diablos que, escondidos en la chimenea, aullaban durante la noche. En efecto: los aullidos cesaron, y Pomerantzev escribió un extenso relato de lo que había ocurrido y se lo envió al Santo Sínodo, que, por mediación del doctor, le contestó dándole las gracias. De cuando en cuando volaba a la ciudad, a su oficina; pero lo hacía cada vez más de tarde en tarde; todas las noches recibía la visita de San Nicolás, con quien acudía, volando, a todos los hospitales de la ciudad, y se dedicaba a curar enfermos.

Por la mañana se levantaba agotado, cansado, con las piernas hinchadas y un dolor horrible en todo el cuerpo, y tosía terriblemente durante horas y horas.

—¡Qué! ¿Cómo se encuentra usted hoy? —le preguntaba el doctor, sentándose a su lado en la cama.

Pomerantzev, esforzándose en contener la tos, respondía:

—Me encuentro admirablemente. ¡Nunca me he sentido tan bien!

Y cuando había logrado dominar definitivamente el acceso de tos, añadía con una sonrisa jovial y los ojos brillantes.

—Solo estoy un poco cansado. No es extraño, por lo demás. ¡He visitado esta noche tres hospitales! ¡Y he tenido en ellos no poco que hacer! Figúrese usted que solamente en el hospital Detegzev había cinco niños enfermos de fiebre tifoidea. Uno estaba casi muriéndose. Por fortuna, San Nicolás le curó en seguida, soplándole en la cara. El niño se puso al instante muy alegre y pidió de beber. Yo y San Nicolás lloramos de alegría. ¡Palabra de honor!

Los ojos de Pomerantzev se llenaron de lágrimas; pero se apresuró a secárselas, y añadió en son de broma:

—¡Vaya un doctor, San Nicolás! No se parece usted a él...

Pero inmediatamente, temiendo que el doctor se ofendiese, procuró tranquilizarse:

—¡No, no, querido doctor! No tome usted en serio lo que acabo de decirle. Bien sé que es usted un hombre excelente y cumple concienzudamente con su deber. Usted se parece a San Erasmo. También es un buen santo.

—¿Usted lo ha visto?

—¡Ya lo creo! Yo he visto a todos los santos.

Y se puso a describir detalladamente los rostros de los santos, que, desde luego, eran todos buenos y nobles.

Después se levantó, dio algunas vueltas por la estancia, hizo algunos ejercicios gimnásticos y, al fin, se detuvo junto a la ventana abierta.

—¡La nieve comienza ya a derretirse!—dijo—. ¡Me da un gusto!... ¿Qué vamos a hacer hoy, doctor?

—¿Quiere usted romper el hielo del estanque?

—¿Romper el hielo? ¡Dios mío, me entusiasma! Romper el hielo es ayudar a la primavera.

¡Verdaderamente, doctor, es usted un hombre excelente!

—Y usted un hombre feliz.

Se separaron grandes amigos.

Un cuarto de hora después, Pomerantzev, todo salpicado de hielo y de nieve, trabajaba enérgicamente con la pala, hundiéndola en el hielo, ya medio fundido y parecido a azúcar cande. El trabajo hacía entrar en calor a Pomerantzev, que estaba fatigado y sudando, pero se sentía feliz y miraba con ojos encantados alrededor. El día primaveral sonreía. De los tejados, de los árboles, del muro, caían lentamente gotas de agua, que lo ennegrecían todo. Se aspiraba el olor de la nieve derretida, del estiércol, los mil olores indefinibles de la primavera.

—¡Mire usted cómo trabajo! —gritaba Pomerantzev a la enfermera, una muchacha bajita, envuelta en una capa de pieles.

Estaba sentada en un banco, dando pataditas en el suelo para calentarse los pies, y vigilaba a los enfermos. La naricita se le había puesto encarnada a causa del frío.

—¡Muy bien, Georgi Timofeievich!—respondió con voz débil, sonriéndole afectuosamente—. Me gusta mucho verle a usted trabajar.

Pomerantzev no ignoraba que la enfermera estaba enamorada de él, y, aunque no podía corresponder a tal amor, respetaba sus sentimientos y procuraba no comprometer a la muchacha con cualquier imprudencia. Se imaginaba que era una heroína que había abandonado a su opulenta y aristocrática familia para cuidar a los enfermos, aunque, en realidad, era una pobre huérfana sin parientes. Estaba seguro de que la cortejaban oficiales de la guardia imperial, y ella los rechazaba para consagrarse por entero a su deber penoso. Se mantenía con ella en una actitud particularmente respetuosa, la saludaba con extremada cortesía, la llevaba del brazo a la mesa y le enviaba en verano, con el guarda, ramos de flores; pero evitaba cuidadosamente el quedarse solo con ella, para no ponerla en una situación falsa.

A propósito de esta enfermera, tenía frecuentes disputas con el enfermo Petrov, que la juzgaba de una manera harto distinta. Petrov afirmaba que era, como por lo demás lo eran todas las mujeres, perversa, embustera, incapaz de un sincero amor.

—Después de hablar con alguien —decía—, se

burla de él. Hace un momento, por ejemplo —seguía diciéndole confidencialmente a Pomerantzev, acariciándose la larga barba—, hace un momento coqueteaba con usted y conmigo, y estoy seguro de que ahora se está burlando de nosotros, y, escondida detrás de la puerta, ¡está llamándonos imbéciles! ¡Está ahí, créame usted! Hasta juraría que está haciéndonos muecas. ¡Oh, conozco muy bien a esa maligna criatura!

—¡Se engaña usted! ¡Yo sí que la conozco!

—Pues está ahí, detrás de la puerta. La oigo. ¿Quiere usted que la sorprendamos?

Y los dos, cogidos de las manos, se acercaban lentamente, de puntillas, a la puerta. Petrov la abría bruscamente.

—¡Se ha escapado! —decía con tono triunfal—. Ha oído nuestra conversación y ha huido. ¡Oh, son el diablo! Es muy difícil sorprenderlas. Puede uno perseguirlas toda la vida sin tener buen éxito nunca.

Un día afirmó que la enfermera era la querida del guarda y había tenido con él un niño, a quien acababa de matar; lo había ahogado con una almohada, y por la noche lo había enterrado en el bosque. Sabía hasta el sitio donde el pobre niño estaba enterrado.

Pomerantzev, indignado al oír tales acusaciones, retrocedió unos cuantos pasos, tendió solemnemente la mano derecha y dijo con voz grave:

—¡Señor Petrov, es usted un monstruo! No volveré nunca a darle a usted la mano. Voy a pedir a nuestros compañeros que juzguen su conducta innoble.

Y, en efecto, dio al punto principio a la organización de un tribunal. Pero la tentativa fracasó. Cuando Pomerantzev hubo conseguido que todos los enfermos se sentasen en semicírculo, la señora de los cabellos sueltos propuso de repente que se jugase un rato al anillo, y no hubo ya tribunal posible.

Media hora después, Pomerantzev y Petrov charlaban amistosamente, como si nada hubiera ocurrido: habían olvidado por completo su desavenencia. Y hablaban, precisamente, de la enfermera y de su belleza; uno y otro estaban de acuerdo en que tal belleza existía; pero Pomerantzev afirmaba que era una belleza de ángel, mientras que Petrov sostenía que era una belleza de demonio. Luego Petrov habló largamente, en voz baja, de sus enemigos.

Tenía enemigos que habían jurado perderle. Con apariencia de informaciones financieras publicaban en los periódicos artículos en contra suya, llenos de calumnias y de insinuaciones; sostenían contra él una campaña persistente, por medio de carteles y de prospectos; le perseguían por todas partes en automóviles ruidosos; le acechaban detrás de los árboles. Habían sobornado a los hermanos de Petrov y a su anciana madre, que todos los días le echaba veneno en la comida, por lo que él no se atrevía a comer y estuvo a punto de morirse de hambre. Sí, eran poderosísimos sus enemigos, podían filtrarse al través de las piedras, de las paredes y de los árboles. Un día pasaba por el bosque, y un árbol se inclinó sobre su cabeza y tendió las ramas para estrangularle.

Al levantarse por la mañana no estaba seguro de pertenecer por la noche al mundo de los vivos; al acostarse, no tenía ninguna certeza de que no le asesinarían durante la noche. Sus enemigos poseían el don de penetrar en su cuerpo; ocurría a menudo que su pierna o su brazo no le obedecían, paralizados por ellos. Podían también penetrar en su alma; con frecuencia, por la mañana, trataban de impulsarlo al suicidio y le daban consejos sobre el mejor modo de realizarlo; una vez le habían aconsejado que rompiese un cristal de la ventana y con uno de los pedazos se cortase la arteria del brazo izquierdo por encima del codo. El doctor Chevirev no ignoraba que Petrov era perseguido por numerosos enemigos. La antevíspera, por la noche, había llegado a decirle:

—¡Es usted un hombre muy desgraciado, Petrov!

A Petrov le complació mucho oír aquellas palabras de verdad y de compasión, mucho más apreciables sabiendo, como sabía él perfectamente, que el doctor era un vulgar egoísta, un borracho y un libertino, que había fundado su clínica con el único objeto de explotar a los imbéciles. Era muy probable que el doctor fuese también cómplice de su madre y que solo esperase el momento favorable para perderle. El domingo anterior, Petrov había visto con sus propios ojos a su madre, que, escondida detrás de un árbol, miraba fijamente a su ventana; cuando le oyó gritar, se marchó corriendo. Era un hecho real, y, no obstante, el doctor afirmaba que no había nadie en el jardín. Pero él la había visto allí, detrás de aquel árbol, con su gorra de piel y sus terribles ojos fijos en la ventana.

Al contar todo esto a Pomerantzev, Petrov parecía lleno de un terror que apagaba su voz y se manifestaba también en la agitación de su barba. Ni siquiera advirtió la salida de Pomerantzev, y, solo en su aposento, iba y venía con paso nervioso, se oprimía con desesperación la cabeza entre las manos, hablaba efusivamente y lloraba. Luego comenzó a amenazar con los puños cerrados a sus enemigos invisibles y a llorar aún más amargamente, con mayor desconsuelo.

Algunos instantes después, como si se hubiera acordado de algo, se animó y, con los ojos brillantes, se asomó a la ventana: acechaba a su madre. Permaneció asomado a la ventana una hora entera. Muchas veces creyó divisar detrás de la esquina la gorra de piel, los ojos terribles y el pálido rostro maternos. Se disponía ya a lanzar un grito de horror, cuando la visión desapareció. Según se derretía la nieve, pesadas gotas de agua caían del tejado, de los árboles, del muro. El aire tibio y límpido de la primavera envolvía el jardín. El día era claro, luminoso.

La excitación de Petrov desapareció, así como los pensamientos fragmentarios que turbaban su espíritu. Solo le quedó una honda tristeza.

Se tendió en la cama. La tristeza, como si fuera un ser viviente, se posó en su pecho y le clavó las garras en el corazón. Así permanecieron ambos, estrechamente unidos, mientras fuera, en el jardín, caían gruesas gotas de nieve derretida, y todo era claridad, luz radiante.

Se oía, hacia el estanque, una risa jovial. Era Pomerantzev, que echaba al agua barquitas de papel y se reía, lleno de júbilo.

IV

La enfermera María Astafievna no estaba enamorada de Pomerantzev. Desde hacía tres años, el tiempo que llevaba en la clínica, amaba desesperadamente al doctor Chevirev y no se atrevía a decírselo. Le amaba por su inteligencia, por su hermosura varonil, por la nobleza de su corazón, por los perfumes especiales y aristocráticos que exhalaba siempre; le amaba, en fin, porque no hablaba nunca y porque parecía solitario y desgraciado.

En las tres piezas del piso superior que habitaba el doctor no había detalle del mobiliario, pedazo de papel ni cuadro que no le fuesen familiares. Abría afanosa cuantos libros le veía a él leer, como buscando en sus páginas el rastro de su mirada melancólica. Se sentaba en todos los sillones y canapés, pensando que el doctor había estado sentado en ellos. Una noche, hallándose el doctor, según su costumbre, en el restaurante Babilonia, llegó a tenderse con cuidado en la cama. En la almohada quedó la huella de su cabeza; asustada, iba a hacerla desaparecer, cuando, pensándolo mejor, renunció a su propósito, y toda la noche, entre las burdas sábanas de la clínica, abrasándose de rubor, de placer y de amor, estuvo besando locamente su almohada blanca de doncella. Sobre el tocador del doctor había encontrado hacía tiempo un frasco de esencia, y había perfumado su pañuelo, que guardaba como si fuese un objeto precioso, y cuyo perfume saboreaba como saborea un borracho el aroma del vino.

Además de las tres estancias habitadas, había en el piso superior otra más, completamente desierta y con una ventana italiana que abarcaba casi por completo la pared. La acristalaban multitud de pequeños vidrios de colores y de una misión arquitectónica puramente estética; mirada desde fuera, era grata a la vista, pero causaba una impresión turbadora y extraña mirada desde dentro.

Siempre que la enfermera subía al piso alto, permanecía largo rato en aquel aposento, contemplando, a través de la vidriera policroma, el paisaje conocidísimo, y, sin embargo, extraordinario, que se veía desde allí. El cielo, el muro, el camino, la pradera y el bosque, mirados al través de los vidrios rojos, amarillos, azules y verdes, cambiaban de un modo fantástico. El efecto, mirando a través del conjunto de los cristales, era el de una gama; pero si se miraba a través de un solo cristal, se experimentaba una emoción que variaba según el color. La correspondiente al amarillo era muy inquietante; el paisaje parecía anunciar alguna desgracia, evocar vagamente algún terrible crimen. Al mirar a través del cristal amarillo, la enfermera sentía una tristeza infinita y perdía toda esperanza de que el doctor Chevirev se casara con ella. A no ser por aquel cristal, le hubiera confesado, hacía mucho tiempo, su amor. Y siempre se juraba no volver a mirar por aquella ventana; pero miraba, sin embargo, llena de susto y de tristeza ante el extraño cambio del paisaje conocidísimo. La proximidad de la ventana al gabinete del doctor la inquietaba mucho, como si presintiera en ella un riesgo cercano y misterioso.

La soledad del doctor le inspiraba algo así como un sentimiento maternal. Cuidaba su ropa y sus libros, y sentía mucho que su autoridad no se extendiese a la cocina, tanto más cuanto que, a su juicio, el doctor comía muy mal.

Tenía celos de los enfermos, del guarda, al que el doctor confiaba a veces misiones misteriosas; de cuantos trataban con su ídolo. Guardaba en la cómoda, amorosamente, junto al pañuelo perfumado, un grueso cuaderno, donde escribía sus más íntimos pensamientos y donde le rogaba al doctor que renunciase a sus visitas cotidianas al restaurante Babilonia, al champán y a la vida de libertino que ella sospechaba. Cuando escribió la palabra «libertino» experimentó un dolor tan intenso y tuvo tanta vergüenza del doctor y de sí misma que no pudo ya escribir más; habiéndose tendido, sin soltar el cuaderno, en la cama, estuvo llorando toda la noche y emborronó con sus lágrimas dos páginas.

En el mismo cuaderno se brindaba al doctor Chevirev, pero a condición de que se casase con ella y renunciase a Babilonia y al champán. Demostraba que, desde el punto de vista económico, eso sería muy ventajoso para el doctor; una vez casada con él, dejaría de cobrar sueldo. Además, prometía ampliar, con la autorización del doctor, la clínica, y mejorar las condiciones de vida de los enfermos, puesto que sabía bastante psiquiatría y se hacía cargo de los defectos de la clínica. Le rogaba al doctor —siempre en el cuaderno— que resolviese la cuestión lo más pronto posible, pues ella había ya cumplido veinticuatro años y pronto comenzaría a marchitarse.

Hacía ya dos años que guardaba el cuaderno, y nunca se atrevía a entregárselo al doctor. A menudo, en su timidez y su desesperación, llamaba a la muerte. Cuando se muriese, el doctor leería de seguro lo que ella había escrito.

El doctor no sospechaba nada. Todas las noches, a las diez, se iba al restaurante Babilonia y no volvía hasta el amanecer. Y siempre se encontraba en el corredor, al volver, a la enfermera, que le esperaba.

—¿No se ha acostado usted aún? —preguntaba con tono indiferente—. ¡Buenas noches!

Ella respondía, con voz apenas perceptible:

—¡Buenas noches!

En el restaurante Babilonia, el doctor Chevirev era considerado como un viejo cliente, que casi formaba parte de la casa, y como un personaje importante, que ocupaba el primer lugar después del dueño del hotel. Conocía por sus nombres a todo el personal, así como a todos los miembros de la orquesta y a todos los cantores y cantatrices rusos y bohemios. Tomaba parte en las alegrías y en las tristezas del establecimiento, arreglaba a menudo las desavenencias entre la administración y los clientes borrachos. Todas las noches se bebía tres botellas de champán, ni una más ni una menos. Considerándose allí no un médico, sino un particular, se permitía, en ocasiones, sonreír, lo que no hacía nunca en la clínica; pero hablaba tan poco como en dicho lugar.

Hasta las doce o la una permanecía en la sala común, ante una de las innumerables mesitas, en medio de un mar abigarrado de rostros, de voces, de trajes, la espalda casi vuelta a la escena, donde aparecían de vez en cuando cantores, cantatrices, juglares, acróbatas. Resonaban en toda la sala el ruido de las copas y de los platos, las voces sonoras, que se unían en un conjunto monótono y regular. La atmósfera estaba impregnada de perfumes de mujer y de vapores de vino; hermosas mujeres, muy pintadas, deslizándose entre las mesas, sonreían al doctor; todo estaba inundado de una luz eléctrica deslumbradora.

Unos se iban y otros ocupaban sus puestos, pero se diría que siempre eran los mismos; tal semejanza había entre ellos, al fulgor de la luz eléctrica, en medio del ruido incesante y del olor de los perfumes y del vino. No de otra manera, durante una nevada, caen ante los cristales de una ventana iluminada millares de copos de nieve; y parece que son siempre los mismos, siendo en realidad siempre otros, en su constante tránsito de lo oscuro a lo oscuro.

No se advertía cómo transcurrían las horas. Las botellas se vaciaban. El ruido y el calor aumentaban. La atmósfera se iba poniendo poco a poco más turbadora y excitante. Había momentos, por el contrario, en que el ruido se debilitaba casi hasta el silencio, y entonces se oía cualquier palabra aislada que se pronunciase en el otro extremo del salón; pero inmediatamente el ruido se hacía más intenso; intermitente, irregular, parecía subir una escalera de escalones ruinosos y caer, para seguir subiendo luego, dispersándose al cabo, como los fuegos artificiales, en mil chispas multicolores, rojas, verdes, amarillas.

En tales momentos, se diría que nuevas voces, ya fuertes, ya suaves, se mezclaban con los gritos de la multitud abigarrada; gritos aislados flotaban a veces sobre el ruido general, semejantes a copos de espuma sobre las olas: risas nerviosas, histéricas, fragmentos de canciones, juramentos furiosos. A medida que avanzaba el tiempo, iban siendo más numerosas y frecuentes las voces iracundas que votaban y renegaban. No se sabía de qué garganta salían; atravesaban el espacio a modo de murciélagos cegados por la luz deslumbrante.

El olor de los perfumes y el vino se iba haciendo más fuerte e impedía la respiración, como si el aire que impregnaba huyese de las bocas, ávidamente abiertas. Hacia la una o las dos de la madrugada solían llegar algunos hombres y mujeres que el doctor conocía; en Babilonia había tenido ocasión de conocer a casi toda la ciudad. La alegre comparsa ocupaba en seguida un gabinete particular e invitaba al doctor Chevirev. Se le acogía siempre con gritos alegres y bromas; algunos, que se consideraban sus amigos, le abrazaban. Ayudaba a componer el menú de la cena; elegía los vinos; indicaba los mejores cantantes y cantatrices, a quienes se invitaba también al gabinete. Luego se sentaba en un extremo de la mesa, con su botella de champán, que los criados le llevaban cada vez que cambiaba de sitio. Cuando le dirigían la palabra se sonreía, y diríase que hablaba mucho, aunque guardaba, en realidad, casi siempre silencio.

Al principio, la temperatura en el gabinete era bastante baja; pero no tardaba la atmósfera en caldearse. Como la habitación era mucho más reducida que el salón general, cuanto pasaba en ella parecía más extraño y más desordenado. Se bebía, se reía, hablaban todos a la vez, no oyendo sino sus propias palabras; se cambiaban declaraciones de amor, abrazos y, a veces, bofetadas.

La gente variaba diariamente. Ante el doctor Chevirev pasaban artistas, escritores, pintores, comerciantes, aristócratas, empleados públicos, oficiales llegados de provincias. Había en la tertulia *cocottes*, señoras honorables y, en ocasiones, muchachas puras e inocentes, encantadas de cuanto veían y que se emborrachaban a la primera gota de vino. No obstante su diversidad, toda aquella gente hacía lo mismo.

No tardaban en entrar los bohemios, los hombres altos, de cuello largo y cara triste y aburrida; las mujeres modestas, vestidas casi todas de negro, indiferentes a las conversaciones, a las palabras que se les dirigían y a los vinos que había en la mesa. Luego, de repente, empezaban todos a gritar, y el gabinete se llenaba de una alegría loca, de una tempestad de sonidos, de un huracán de pasiones, como si todo se trastornase y desencadenase. Entonces comenzaban los bailes. Cualquier esqueleto vestido de mujer daba vueltas como un peón junto a la mesa, en una danza loca, frenética. El silencio reinaba de nuevo, y de nuevo se veían mujeres modestas vestidas de negro y hombres de cara seria y triste. Durante un rato, las mujeres, cansadas, respiraban más pesadamente, y temblaban las manos de la que acababa de bailar.

Una joven bohemia morena comenzaba a cantar un «solo». Bajaba los ojos. Todos deseaban vérselos; pero ella no los levantaba. Hermosa, morena, como enajenada, cantaba:

> Ni debo amarte ni olvidarte puedo,
> y hondo dolor mi corazón destroza.
> ¡Contigo, el crimen, y sin ti, la muerte!

Lejos de ti, todo en mi vida es sombra.
Aunque maldigo mi pasión insana,
me complazco en sus cuitas deliciosas.
Ni quiero amarte ni olvidarte puedo.
¡Malhaya el lazo! Pero ¿quién lo corta?

De esta suerte cantaba, sin mirar a nadie, morena, hermosa, como enajenada; parecía que lo que cantaba no fuese una canción, sino la realidad, y en todos producía una impresión de realidad. La tristeza invadía las almas, los corazones se llenaban de la nostalgia de algo desconocido y bello, la memoria evocaba algo que quizá no había existido nunca. Y todos, los que habían conocido el amor y los que no lo habían conocido jamás suspiraban y bebían vino ávidamente. Y mientras bebían se percataban de que la vida sobria que habían llevado hasta entonces no era sino una mentira, un engaño; de que la verdadera vida, la real, estaba allí, en aquellos lindos ojos bajos, en aquellas exaltaciones del sentir y el pensar, en aquel vaso que acababa alguien de romper, derramando sobre el mantel un vino color de sangre.

Aplaudían con entusiasmo a la cantatriz y pedían más vino y más canciones. Luego, a petición del doctor Chevirev, cantaba una bohemia entrada en años, de rostro enflaquecido y enormes ojos rasgados; aludía en sus cantos al ruiseñor, a las citas amorosas en el jardín, al amor juvenil y a los celos. Estaba embarazada de su sexto hijo. Junto a ella se hallaba su marido —un alto bohemio, vestido con levita, con una mejilla hinchada a causa del dolor de muelas— que la acompañaba con la guitarra. Ella cantaba, refiriéndose en sus canciones al ruiseñor, a las noches de luna, a las citas deliciosas en el jardín y al amor juvenil. Las cosas que cantaba producían una impresión de realidad, a pesar de su embarazo y de su rostro envejecido.

Y así hasta el amanecer.

El doctor Chevirev no se esforzaba por conservar en la memoria los nombres de sus amigos del Babilonia, y no se daba cuenta de que desaparecían y eran reemplazados por otros. Callaba, sonreía cuando se dirigían a él, bebía su champán mientras los demás gritaban, bailaban con los bohemios, se regocijaban o se entristecían, reían o lloraban. Generalmente, una alegría estúpida reinaba en la tertulia, lo que no era óbice para que a veces también ocurrieran en ella cosas lamentables.

Hacía dos años, mientras una joven y bella bohemia cantaba, un estudiante se pegó un tiro; se fue a un rincón, se inclinó como para escupir y se disparó el revólver en la boca, que olía aún a vino. Otra noche, uno de los amigos del doctor, momentos después de abrazarle y marcharse del Babilonia, fue desvalijado y asesinado en un garito. Algunos años antes, el doctor había conocido allí a su enfermo Petrov; en aquella época, Petrov llevaba una linda perilla, reía, derramaba vino en los floreros y cortejaba a una hermosa bohemia. A la sazón llevaba una larga barba descuidada y estaba recluido en un manicomio; la bohemia había desaparecido. O quizá no había existido en la vida y el doctor se la había inventado. ¿Quién sabe?

A las cinco de la mañana, el doctor Chevirev acababa su tercera botella de champán y se iba a su casa. En invierno, como todavía era de noche a dicha hora, tomaba un coche; pero en primavera y en verano, si hacía buen tiempo, se iba a pie. No tenía que andar sino cinco o seis kilómetros hasta su clínica. Había que atravesar una gran aldea, seguir después el camino, a ambos lados del cual se extendía la campiña, y cruzar, por último, el bosque.

El sol se levantaba, y parecía que sus ojos estaban aún rojos de sueño; todo alrededor —el bosquecillo, los árboles, el polvo del camino— se hallaba ligeramente teñido de un color rosa pálido. El doctor se cruzaba de vez en cuando con campesinos y campesinas, que se dirigían en sus cochecillos al mercado de la ciudad. En su cara y en su actitud se reflejaba aún la impresión del frío de la noche. Tras los cochecillos se alzaban leves nubes de polvo. Junto a una taberna jugaban unos perritos. De vez en cuando pasaban por el camino hombres con sacos a la espalda, gentes misteriosas, de esas que siempre, a toda hora, van a alguna parte. El bosque estaba húmedo aún; los rayos del sol no habían tenido tiempo de ahuyentar el frescor nocturno; por eso el doctor Chevirev prefería dar un rodeo y caminar por campo abierto.

Bien afeitado, muy currutaco con su sombrero de copa, balanceaba negligentemente su mano enguantada, y silbaba, acompañando a los pájaros, cuyas canciones resonaban en la atmósfera. Dejaba tras sí, en el aire fresco de la mañana, un ligero olor a perfumes, a vino y a fuertes cigarros.

V

Al verano siguió el otoño, frío y lluvioso. Durante dos semanas, la lluvia casi no cesó. En las raras horas de intervalo, nieblas frías se alzaban por todos lados, a modo de cortinas de humo.

Un día cayó en gruesos copos blancos la nieve. Se extendió como un blanco tapiz desgarrado sobre la hierba, verde aún, y en seguida se derritió, aumentando la frialdad y la humedad del aire.

En la clínica se encendían las luces a las cinco de la tarde. En todo el día no se veía un rayo de sol, y los árboles, tras los cristales, agitaban tristemente las ramas, como queriendo despojarse de las últimas hojas.

El ruido incesante de la lluvia sobre el tejado de zinc, la ausencia del sol y la falta de distracciones, ponían a los enfermos nerviosos, excitados. Les daban más a menudo ataques y se quejaban constantemente. Algunos se resfriaron, entre otros el enfermo que llamaba a las puertas, el cual tuvo una inflamación pulmonar, y durante algunos días estuvo a la muerte. Al menos, el doctor afirmaba que cualquier otro, en su lugar, no sobreviviría. Diríase que su indomable voluntad, su loca idea fija de las puertas que debían abrirse, le habían hecho invulnerable, casi inmortal, y que la enfermedad no podía nada contra su cuerpo, olvidado hasta por él mismo. Ni soñando dejaba de hablar de las puertas, de rogar, de suplicar y aun de exigir con voz terrible y amenazadora que las abriesen; la enfermera tenía miedo de quedarse con él de noche, aunque le habían puesto una camisa de fuerza y le habían atado a la cama. Mejoraba rápidamente. El doctor dio orden de que le dejasen siempre abierta la puerta de la habitación, y el enfermo no se acordaba de que había en la casa otras puertas cerradas, y estaba muy contento. Pero desde que abandonó el lecho se le oyó llamar a la puerta vecina.

Pomerantzev también se resfrió. Tuvo un fuerte romadizo; además perdió la voz, y solo podía hablar bajito. Sin embargo, estaba de excelente humor. En el verano había sembrado una mata de sandías, y cuando estuvieron en sazón le regaló la más hermosa a la enfermera. Esta quiso dársela a la cocinera para que la sirviese en la mesa, pero Pomerantzev no lo permitió; la colocó él mismo sobre el velador, en la habitación de la enfermera, y acudía a cada momento a admirarla: le recordaba vagamente el globo terráqueo y le sugería grandes ideas.

El doctor le regaló diez tarjetas postales ilustradas, y Pomerantzev se dedicó a la tarea de componer un catálogo de sus cuadros. Trabajó durante mucho tiempo en el dibujo de la cubierta. Comenzó por dibujar su propia persona, como propietario de los cuadros, y esto le gustó tanto que repitió el retrato en todas las páginas. Luego le pidió al doctor una gran hoja de papel, y dibujó una vez más su imagen, bajo la que escribió con letras muy grandes: «Georgi el Victorioso». Colocó el cuadro en una pared del comedor, muy cerca del techo, y los enfermos que lo veían le felicitaban.

Pero el mal tiempo ejercía también sobre él una influencia perniciosa. Sus ensueños nocturnos tornábanse inquietantes y belicosos. Todas las noches le atacaba una turba de diablos chorreando agua, y de mujeres rojas, de aspecto infernal, que se parecían a la suya. Luchaba largo rato, denodadamente, con sus enemigos, y acababa por ponerlos en fuga; diablos y mujeres huían a todo correr ante su espada flamígera, lanzando gritos de terror y gemidos lastimeros. Pero por la mañana, después de tan fieras batallas, estaba tan cansado que, para recobrar las fuerzas, tenía que quedarse en la cama un par de horas más.

—Naturalmente, yo también he recibido algunos golpes —le confesaba francamente al doctor Chevirev—. Un diablo muy grande ha cogido una viga y me la ha tirado entre las piernas, me ha hecho caer y ha pretendido estrangularme. Pero yo he acabado por vencerle. ¡Se ha llevado lo suyo!... Me han amenazado cuando huían con volver esta noche. Si oye usted ruido, no se asuste; pero venga y verá. ¡Es interesante; se lo aseguro!

Y seguía durante largo rato, con gran copia de curiosos detalles, hablando del combate nocturno.

Pero, de todos los enfermos, el que peor estaba era Petrov. Las nieblas del otoño, que por las ventanas invadían la clínica, le inspiraban la idea de que todo se había acabado, y a cada momento esperaba un suceso terrible. El presentimiento de una desgracia próxima era en él tan intenso que permanecía horas y horas inmóvil, sin atreverse a levantarse. Estaba seguro de que mientras no se moviese nada malo podía ocurrirle, y de que con solo levantarse, con solo moverse de su sitio, con solo volver la cabeza, la desgracia terrible ocurriría inmediatamente. Pero una vez en pie, y habiendo comenzado a andar, no se atrevía ya a pararse, pues se le antojaba que el peligro estaba precisamente en la quietud. Y andaba más aprisa a cada momento, volviéndose con una frecuencia creciente, lanzando en todas direcciones miradas de pavor, hasta que caía muerto de cansancio en la cama.

Por la noche escondía la cabeza bajo las almohadas y las sábanas, de tal manera que se ahogaba; pero no se atrevía a sacarla, aunque la habitación estaba bien alumbrada y frente a la cama dormía una enfermera, a quien el doctor, en vista del estado inquietante de Petrov, había encargado que lo vigilase toda la noche. Como durante el día, Petrov unas veces no se atrevía a moverse y parecía un cadáver, y otras sacudía todo el cuerpo, como si temblara de frío. Todo su horror se concentraba en su madre, en la pobre vieja de cara pálida. No pensaba ya que fuera cómplice de los médicos que querían perderle. Ni siquiera razonaba el horror que le inspiraba, pero temía ver su cara y oírle decir: «¡Hijito mío!»

No sabía lo que ocurriría en ese momento, y no se atrevía a pensarlo. Y a toda hora sentía que la pobre vieja estaba allí, muy cerca. Estaba seguro de que se paseaba por el bosque vecino, con su gorro de pieles, y de que se ocultaba debajo de la mesa, debajo de la cama, en todos los rincones oscuros. Durante la noche permanecía en pie detrás de la puerta, tratando de abrirla suavemente.

El domingo anterior, por la mañana, había ido a verle. Durante una hora estuvo llorando en el aposento del doctor; Petrov no la vio; pero a media noche, cuando todos dormían ya, tuvo un ataque de locura. Se llamó a toda prisa al doctor, que estaba en Babilonia, y cuando llegó, Petrov se encontraba ya mucho mejor, gracias a la presencia de gente y a una fuerte dosis de morfina que le habían dado, aunque seguía temblando de pies a cabeza y jadeando. Medio ahogándose, iba y venía de un cuarto a otro y renegaba de todo y de todos: de la clínica, del personal, de la enfermera, que se dormía en vez de velar. Cuando entró el doctor, lo recibió lleno de ira.

—¡Tiene gracia esta casa de locos! —gritaba sin dejar de andar—. ¡Vaya una casa de locos! Ni siquiera cierran las puertas de noche, y cualquiera... si le da la gana... ¡Me quejaré! Si no puede usted ni tener un guarda, ¿para qué se mete a abrir clínicas? ¡Es una bribonada! ¡Sí, señor, una bribonada! ¡Roba usted a sus enfermos! ¡Abusa de su confianza! Le creen a usted un hombre honrado, y usted...

—A ver el pulso —dijo el doctor Chevirev.

—Tómememelo, si quiere; pero no se crea que voy a dejarme engañar con el pulso y otras zarandajas.

Petrov se detuvo, y, mirando con ira el rostro afeitado del doctor, preguntó de repente:

—¿Estaba usted en el Babilonia?

El doctor hizo con la cabeza un signo afirmativo.

—¡Qué! ¿Se está bien allí?

—Sí.

—¡Ya lo creo que se está bien! ¿Por qué no? Sin embargo, hay que tener cuidado de que cierren las puertas. No hay que olvidar la clínica por el Babilonia.

Se echó a reír a carcajadas; pero sus labios temblaban, y su risa parecía el ladrido de un perro con frío.

—Sí, voy a dar orden de que cierren siempre las puertas. Le ruego a usted que me perdone; ha sido un descuido del personal.

—Para usted tal descuido acaso no tenga importancia, mientras que para mí podría tenerla muy grande. Pero le perdono a usted por esta vez.

Luego, dirigiéndose al enfermero y a los guardas, les dijo severamente:

—¿Han oído ustedes? ¡Cierren en seguida las puertas!

Y añadió riendo:

—De lo contrario, yo y el doctor nos iremos inmediatamente a pasar el rato al Babilonia.

Cuando se logró que Petrov se retirase a su aposento y se acostase, el doctor subió a sus habitaciones. En el corredor, junto a la escalera, encontró a la enfermera; se hallaba completamente vestida, y sus ojos brillaban.

—¡Doctor! —murmuró.

Estaba tan emocionada, que no podía continuar.

—¡Doctor! —repitió, sin alzar la voz.

—¡Ah, es usted! ¿No se ha acostado todavía? Es ya tarde.

—¡Doctor!

—¿Qué hay? ¿Necesita usted algo?

—¡Doctor!

Le faltaron ánimos. ¡Quería decirle tantas cosas! Le hubiera hablado de su amor, del Babilonia, del champán, de que abusaba. Pero se limitó a preguntar:

—¿Hay que darle bromuro a Polakov?

—¡Desde luego! ¡Buenas noches!

—Muy buenas. ¿Volverá usted a irse?

El doctor consultó su reloj. Eran las tres y media.

—No, es demasiado tarde. No saldré ya.

—¡Gracias!

Ahogó un sollozo y huyó a su habitación, a llorar,

tan pequeña en el amplio y largo corredor, que parecía una niñita.

El doctor la siguió con la vista, consultó de nuevo su reloj y, sacudiendo la cabeza, se dirigió a sus habitaciones.

El día siguiente fue gris, y, aunque no llovió, hizo mucho frío. El invierno se echaba encima. El barro no tardó en secarse. A las cuatro, cuando se hizo salir un rato a los enfermos a tomar el aire, las avenidas estaban completamente secas, el suelo parecía de piedra y las hojas caídas crujían bajo las pisadas.

El doctor, Pomerantzev y Petrov se paseaban a lo largo de la avenida. El doctor y Petrov callaban; Pomerantzev se divertía en hundir los pies entre las hojas secas, y miraba a cada instante atrás, para ver si quedaban huellas. Charlaba acerca del otoño en Crimea, aunque él no había estado allí nunca; acerca de la caza, que no conocía; y acerca de otras muchas cosas incoherentes, pero divertidas y no desprovistas de interés.

—¡Sentémonos!—propuso el doctor.

Se sentaron en un banco; el doctor, entre ambos enfermos. Veían ante ellos el cielo frío, de nubes grises y pálidas, muy elevadas.

Las tinieblas descendían. Lejos, por encima de los árboles del bosque, que se veía apenas, se cernía una bandada de grajos en busca de un lugar donde pasar la noche. Formaban una larga cinta viviente, y aunque eran numerosos, en sus gritos se adivinaba un sentimiento de soledad, el temor de una interminable noche fría, una queja dolorosa. Varios grajos se destacaron de la bandada, y cuando estuvieron más cerca, pudo verse que cuatro de ellos perseguían a otro; después, todos desaparecieron tras el bosque.

Petrov, considerablemente calmado después del ataque de la víspera, miraba fijamente, ora a los pájaros, ora al médico. Guardaba un silencio tenaz. Pomerantzev también había enmudecido, y con gesto severo miraba a lo alto.

—Se está bien ahora en casa —dijo con una voz que parecía, no se sabe por qué, de asombro—. No estaría mal tomar ahora te.

—¡Vuelan aquí!—dijo Petrov.

Se puso pálido y se acercó más al doctor.

—¿Vamos? —propuso este—. Usted, señor Pomerantzev, vaya delante.

Estas palabras sonaron en los oídos de Pomerantzev como una llamada al poder. Se irguió orgullosamente y empezó a andar con paso firme, imitando con las manos los movimientos de un tambor y tarareando algo parecido a una marcha guerrera.

—¡Tam-tara-ta-tam! ¡Tam-tara-ta-tam!

De esta suerte, tamborileando y andando con paso marcial, avanzaba delante del doctor y de Petrov, que, inconscientemente, seguían el compás. Petrov se estrechaba contra el doctor y miraba con ansia, volviendo la cabeza, la bandada de grajos en el cielo frío y a cada momento más oscuro.

—¡Tam-tara-ta-tam! ¡Tam-tara-ta-tam!

El guarda, habiendo visto desde lejos llegar al doctor, abrió la puerta de par en par. Pomerantzev entró el primero, con paso solemne, la cabeza orgullosamente echada atrás y tamborileando. Los otros dos le seguían. En el umbral de la puerta, Petrov dirigió una mirada atrás, y su rostro expresó un miedo horrible.

A media noche se levantó un viento muy fuerte. Sacudía el zinc del tejado y parecía atacar furiosamente a toda la clínica.

Aquella noche Petrov murió de terror.

VI

Se transportó al muerto a una vasta habitación fría, que existe en todos los hospitales, destinada a tal fin. Se le lavó y se le vistió con una levita negra, que se le abrochó sobre el pecho.

Al día siguiente llegaron la madre de Petrov y su hermano mayor, un escritor muy conocido. Después de pasar algunos momentos con el muerto, volvieron al aposento del doctor. La anciana, completamente quebrantada por el dolor, apenas entró en el salón de Chevirev; se dejó caer en el sofá; pequeña, consumida por una larga vida de sufrimientos, parecía un bultito negro, de faz pálida y cabellos blancos. Derramando lágrimas heladas de anciana, empezó a contar prolijamente de qué manera en la familia amaban a su hijo Sacha y el terrible golpe que había sido para ellos su enfermedad inesperada. No había habido nunca locos en la familia, ni aun en las generaciones precedentes. El propio Sacha había sido siempre un joven sano, aunque un poco desconfiado. La anciana insistía en este punto. Se diría que trataba de justificarse, de demostrar algo; pero no lo lograba.

El doctor procuraba, con breves réplicas monosilábicas, tranquilizarla. El escritor, alto, sombrío, de cabellos negros, algo parecido a su hermano muerto, iba y venía con paso nervioso de un extremo a otro de la estancia, torturaba su barba, miraba por la ventana y daba a entender claramente, con su actitud, que las palabras de su madre le desagradaban. Tenía su opinión sobre la enfermedad de su hermano, muy sabia, fundada en los datos de la ciencia tanto como en su personal conocimiento de las miserias de la vida. Pero entonces, ya muerto Sacha, no quería hablar de eso, sobre todo porque se veía obligado a insistir en lo atañadero al mal carácter del difunto.

Al cabo, no pudiendo ya contenerse, interrumpió a su madre:

—Mamá, ya es hora de que nos vayamos. Estamos molestando al señor doctor.

—En seguida, hijo mío. Dos palabras más, y nos vamos.

Y comenzó de nuevo a hablar, a justificarse y a pretender demostrar algo, sin conseguirlo. El hijo miraba con una curiosidad malévola la cabeza temblorosa y cana de la madre; recordaba las cosas insensatas que le decía en el camino, y pensaba que estaba loca; que abajo, en los aposentos cerrados, había locos; que su hermano, que acababa de morir, estaba también loco, y no paraba de inventar historias ridículas, viendo enemigos por todas partes, figurándose que se le perseguía a cada paso. ¡El pobre desgraciado se imaginaba tener enemigos! ¿Qué hubiera dicho si, en efecto, los hubiera tenido como él, el escritor, reales, poderosos, implacables, infatigables, que no retrocedían ante la calumnia y la denuncia?

—¡Mamá, hay que marcharse!

—¡En seguida, hijo mío! Diga usted, doctor, ¿podré pasar la noche junto a mi Sacha? ¡Está solo el pobrecito! Nadie en nuestra familia había muerto en un hospital, y el pobre hijo mío...

Y se echó a llorar.

El doctor la autorizó para pasar la noche velando al difunto. La madre y el hijo se fueron. Por el camino, la anciana comenzó de nuevo a decir cosas insensatas; su hijo hacía gestos de impaciencia y miraba con mal humor los tristes campos, despojados por el otoño de su pompa.

En consideración al carácter tranquilo de Pomerantzev, no se le cerraba nunca la puerta de la habitación. Durante todo aquel día inquietante anduvo de un lado para otro por la clínica. Asistía a todos los servicios religiosos fúnebres, distribuía velas, las recogía luego, y si alguien se olvidaba de apagar la suya, se acercaba y la apagaba él, soplando muy solícito.

El muerto le inspiraba una gran curiosidad. De media en media hora entraba en la cámara mortuoria para mirarle, ajustaba sobre el cadáver el lienzo que lo cubría y le arreglaba la levita. Y creía que su papel allí no era menos grave e importante que el del muerto. Él estaba vivo y lleno de actividad, lo que no era menos interesante, misterioso y grave que estar muerto y yacer en el ataúd. Mientras andaba por toda la clínica, de un lado para otro, pensaba en las palabras conmovedoras y solemnes que acababa de oír durante el servicio religioso: «Difunto», «llamado por Dios al reino de los cielos» y otras. Tales palabras, y cuanto pasaba aquel día le hacían felicísimo; pero en lo profundo de su alma sentía una extraña inquietud, como si se hubiera olvidado de algo muy grave y no pudiera recordarlo, a pesar de todos sus esfuerzos. En su ir y venir incansable se detenía a veces y se rascaba, con aire preocupado, la frente. Con frecuencia le pedía órdenes a la enfermera.

—¿Me ha encargado usted que haga algo? Me parece que ya está todo.

La enfermera, que se sentía dichosa todavía porque el doctor no había vuelto, algunas noches antes, al Babilonia, respondió afectuosamente:

—Sí, querido Georgi Timofeievich, lo ha hecho usted todo. Le estamos muy agradecidos yo y el doctor. ¿Comprende usted? ¡Yo y el doctor! Yo y el doctor...

—Me alegro mucho. Temía haber dejado algo por hacer.

Y seguía apresuradamente su camino.

Cuando llegó la noche, Pomerantzev trató en vano de conciliar el sueño: daba vueltas, suspiraba; pensaba en mil cosas, pero no lograba dormirse. Entonces se volvió a vestir y se fue a ver al muerto. El largo corredor no estaba alumbrado sino por una lamparilla, y apenas se veía en él. En la cámara mortuoria ardían tres gruesos cirios, y otro, muy fino, alumbraba el breviario que leía en alta voz una monja llamada para velar al muerto. Había mucha luz en la estancia; el aire estaba impregnado de olor a incienso. Cuando entró Pomerantzev, su cuerpo proyectó sobre el suelo y sobre las paredes algunas sombras vacilantes.

—Deme usted su breviario, hermanita —propuso Pomerantzev a la monja—. La reemplazaré a usted un rato.

La monja, que, en plena juventud, se pasaba la vida leyendo oraciones a la cabecera de los muertos, aceptó muy gustosa la proposición y se retiró a un ángulo del cuarto. Había tomado a Pomerantzev por un miembro del personal de la clínica o por un pariente del difunto.

En aquel momento se levantó del canapé la madre de Petrov, envuelta en un chal negro. Su cabecita cana temblaba; su rostro era tan pulcro en su senilidad como si se lavase diez veces al día cada arruguita. Llevaba largo rato en el canapé, sin dormir, sumida en sus tristes pensamientos.

Al principio, Pomerantzev leía muy bien, con voz expresiva, pero los cirios y las flores que cubrían el cuerpo del difunto no tardaron en atraer su atención. Acabó por leer de un modo incoherente, saltándose muchas líneas. La monja se aproximó a él sin que lo advirtiese y, suavemente, le quitó de la mano el breviario. En pie ante el ataúd, con la cabeza ligeramente echada a un lado, contempló al muerto unos momentos, admirándole, como un pintor admira su cuadro. Después arregló un poco la levita del difunto, y le dijo, como para tranquilizarle:

—¡Duerme tranquilo, hermano mío! No tardaré en volver.

—¿Conocía usted a mi pobre Sacha?—preguntó la vieja, acercándose.

Pomerantzev se volvió hacia ella.

—Sí —dijo con tono decidido—; era mi mejor amigo. Mi amigo de la infancia.

—Yo soy su madre. Me da gusto oírle a usted hablar así de mi pobre Sacha. Permítame usted que le hable un poco.

Pomerantzev se imaginó que él era el doctor Chevirev, que escuchaba las quejas de los enfermos. Adoptando una actitud grave, atenta y suplicante, respondió con mucha cortesía:

—¡Estoy a sus órdenes! Tenga la bondad de sentarse. Estará usted mejor.

—No, gracias; estoy bien así. Diga usted, ¿no es verdad que mi pobre Sacha no era un mal hombre?

—¡Era un hombre excelente! —exclamó con sincero acento Pomerantzev—. Era el mejor de los hombres que he conocido. Claro es que tenía sus defectillos; pero... ¿quién no los tiene?

—Es lo que yo digo; pero mi hijo segundo, Vasia, se incomoda. ¡Soy tan feliz oyéndole a usted! Es un gran consuelo para mí... Diga usted, ¿mi pobre Sacha no se quejaba nunca de mí? ¡Pobrecito! Se figuraba que yo no lo quería y, no obstante, créame usted, yo lo quería mucho, mucho...

Y llorando suavemente, le contó a Pomerantzev todos sus sufrimientos, todos sus dolores de madre, que veía a su hijo perdido y no podía hacer nada por él. Y de nuevo pareció querer justificarse, demostrar algo, sin lograrlo. Se diría que tanto ella como Pomerantzev, que apoyaba tranquilamente el codo sobre el ataúd, se habían olvidado del muerto; la vieja estaba tan cerca de la muerte, que no le atribuía una gran importancia y la concebía como otra vida misteriosa; Pomerantzev, por su parte, ni siquiera pensaba en ella. Pero las lágrimas de la anciana de cabellos blancos lo conmovieron, y experimentó de nuevo un sentimiento de vaga inquietud.

—¡A ver el pulso! —le dijo—. Bueno. No se apure usted. Todo se arreglará lo mejor posible. Yo haré todo lo que esté en mi mano. Esté usted completamente tranquila.

—Me consuela usted. ¡Es usted tan bueno! Se lo agradezco con toda mi alma.

Y la vieja, de pronto, le cogió la mano a Pomerantzev y se la llevó a los labios.

El se puso muy colorado, como se ponen los hombres que ya peinan canas y tienen arrugas en la cara, y exclamó con indignación:

—¡Vamos, señora, vamos! ¿Se les besa la mano a los hombres?

Y salió de la estancia.

El corredor estaba mal alumbrado. Pomerantzev marchaba lentamente. De pronto, a algunos pasos de distancia, vio a San Nicolás, el taumaturgo. Era un hombrecillo de pelo gris, con pantuflas tártaras muy agudas y una pequeña aureola dorada alrededor de la cabeza. Pomerantzev avanzaba cabizbajo, y el santo también, sin ruido alguno, como si anduviese sobre una espesa alfombra.

Durante largo rato, uno y otro guardaron silencio. Marchaban emparejados y sumidos en sus reflexiones. El corredor parecía interminable. Se veían a ambos lados blancas puertas cerradas; detrás de unas reinaba un silencio absoluto; detrás de otras se adivinaba una ligera agitación: la de los enfermos insomnes, que no podían estarse quietos. El corredor no se terminaba jamás, y las puertas eran extrañamente numerosas. Detrás de una de ellas, al lado izquierdo del pasillo, oyeron un ruido seco y monótono; el loco que llamaba a las puertas se entregaba infatigablemente a su ocupación predilecta.

—¡Llama! —dijo Pomerantzev a San Nicolás, sin levantar la cabeza.

—¡Llama! —respondió el otro, sin levantar la cabeza tampoco.

—¡Muy bien!

—¡Sí, muy bien! —confirmó San Nicolás.

Y siguieron andando, sumidos uno y otro en sus reflexiones.

—¿Por qué siento a veces en el pecho, bajo el corazón, algo que me oprime, que me pesa? Di, Nicolás.

—¡Es natural! En una casa de locos no puede uno menos de fastidiarse alguna vez.

—¿Crees...?

Pomerantzev volvió la cabeza hacia San Nicolás. Este le miraba con afecto y sonreía dulcemente. Tenía los ojos arrasados en lágrimas.

—¿Por qué lloras? Sonríes y lloras al mismo tiempo.

—¿Y tú? Tú también sonríes y lloras.

Y siguieron andando, sumidos en sus reflexiones.

—¡Llama! —dijo Pomerantzev.

—¡Llama! —respondió San Nicolás.

—Me das lástima, Nicolás. Estando tan viejo, tan enfermo, tan falto de fuerzas, andas sin cesar, vuelas sin descanso sobre la tierra y no te cuidas de nada. Ahora has venido por los aires a visitarme. Veo que no me olvidas.

—No tiene importancia: llevo pantuflas. Con botas es más difícil volar.

—¡Llama! —dijo Pomerantzev—. Vámonos volando a cualquier parte, ¿te parece? Porque, ya ves, me aburro aquí. ¡Me aburro tanto! Además, me duelen las piernas.

—¡Bueno, volemos! —aceptó San Nicolás.

Y volaron.

En el corredor, mal alumbrado, reinaba un silencio inquietante. Tras las puertas cerradas se oía la charla de los enfermos que no conocían el descanso. En el extremo del corredor, tras una puerta silenciosa hasta entonces, se oyó un grito:

—¡Qui-qui-ri-quí!

Lo lanzaba un enfermo que se imaginaba ser un gallo. Con la puntualidad de un cronómetro se despertaba a media noche, a las tres y a las seis, agitaba los brazos, a modo de alas, y gritaba imitando al gallo y despertando a los otros enfermos.

Ahora no se despertó nadie. El enfermo que se imaginaba ser un gallo se durmió de nuevo. Todo quedó otra vez tranquilo. Detrás de una puerta, del lado izquierdo del pasillo, el enfermo seguía golpeando de un modo regular y monótono; pero aquel ruido no turbaba el silencio, porque se confundía con él.

La noche avanzaba, y el enfermo seguía llamando. En el restaurante Babilonia se habían apagado ya todas las luces, y él seguía llamando, locamente obstinado, infatigable, casi inmortal.

CRISTIANOS

La nieve caía tras los cristales, pero en el gran edificio del tribunal hacía calor. Había mucha gente, y los que frecuentaban el tribunal en cumplimiento de su deber —como, por ejemplo, los reporteros judiciales— se hallaban allí muy a gusto. Se encontraban con sus desconocidos; como en el teatro, asistían diariamente a la representación de dramas —llamados por los reporteros «dramas judiciales»—. Era agradable ver al público, oír el ruido de las voces en los corredores, mezclarse con aquella multitud agitada.

El *buffet* estaba muy animado. Lo alumbraba ya la luz eléctrica, y sobre el mostrador se veían cosas muy apetitosas. El público se agolpaba junto al mostrador, y charlaba, comiendo y bebiendo. Los rostros melancólicos que se veían a veces no turbaban la alegría general: al contrario, son precisos con harta frecuencia para hacer más pintorescos el cuadro, sobre todo en lugares donde se representan dramas. Todos contaban que en una de las salas del tribunal acababa de suicidarse un acusado; se oía ruido de cadenas y de fusiles. Un dulce calor reinaba en todo el edificio, y se estaba allí divinamente.

En una de las salas, la animación era grandísima: un proceso pintoresco atraía mucha gente. Los jueces, los jurados y los abogados estaban ya en sus puestos. Un reportero, mientras llegaban sus demás colegas, disponía ante él las cuartillas y examinaba muy contento la sala. El presidente del tribunal, un hombre grueso, de rostro vulgar y bigotes blancos, pasaba revista presuroso, y con voz monótona, a los testigos.

—¡Efimov! ¿Cuál es el patronímico de usted?

—Efim Petrovich.

—¿Quiere usted prestar juramento?

—Sí.

—Colóquese entonces a la izquierda... ¡Karasev! ¿El patronímico de usted?

—Andrey Egorich.

—¿Quiere usted prestar juramento?

—Sí.

—A la izquierda. ¡Blumental!

En esto se empleó mucho tiempo; los testigos eran por lo menos veinte. Unos contestaban a las preguntas del presidente en alta voz, con un placer visible, y pasaban a la izquierda sin esperar la orden; otros parecían sorprendidos por la llamada del presidente, ponían cara estúpida, miraban en torno, sin comprender nada, como si hubieran olvidado su propio nombre o como si creyesen que había en la sala otras personas que tuvieran el mismo. Los testigos honorables esperaban que el presidente terminase su pregunta y respondían sin apresurarse, de una manera detallada.

El acusado, un joven con un cuello postizo muy alto, se acariciaba el bigotito y tenía los ojos bajos. Estaba preso por distracción de fondos y operaciones financieras sucias. A veces, al oír el nombre de cualquier testigo, hacía un gesto, examinaba con mirada hostil al declarante y empezaba de nuevo a acariciarse el bigote.

Su abogado, un joven también, bostezaba de vez en cuando, tapándose la boca con la mano, y miraba por la ventana caer, en gruesos copos, la nieve. Había dormido bien aquella noche, y acababa de comerse en el *buffet* del tribunal una ración de jamón con guisantes.

Solo quedaban por llamar media docena de testigos, cuando el presidente tropezó, de pronto, con una dificultad imprevista.

—¿Quiere usted prestar juramento?

—¡No!—respondió una voz femenina.

Al modo de aquel que, corriendo, choca contra un árbol, el presidente se detuvo, aturdido; buscó con la mirada entre los testigos a la mujer que le había contestado tan rotundamente, y todas las mujeres se le antojaron iguales, lo que le impidió orientarse. Entonces examinó la lista de testigos.

—¡Pelagueia Vasilievna Karaulova! ¿Quiere usted prestar juramento? —preguntó otra vez.

—No.

Ahora vio a aquella mujer. Era de regular edad, nada fea, de cabellos negros. A pesar de su sombrero *chic* y su traje a la moda, su aspecto no era el de una mujer de posición o ilustrada. Llevaba grandes pendientes semicirculares; con las manos, que tenía juntas sobre el vientre, sujetaba un bolso. Su rostro, cuando hablaba, permanecía inmóvil, impasible.

—¿Pero usted es ortodoxa?

—Sí.

—¿Por qué no quiere entonces prestar juramento?

Ella lo miró y no respondió.

—¿Acaso pertenece usted a alguna secta que prohíbe prestar juramento?... Dígalo francamente, sin temor. El tribunal tomará en consideración sus explicaciones.

—No.

—¿Cómo que no? ¿No pertenece usted a ninguna secta?

—No.

—Usted teme quizá que en su declaración haya algo enojoso para usted... Teme, en fin, verse obligada a decir cosas que no querría decir. Pues bien: la ley le permite a usted dejar de contestar a las preguntas que le parezcan enojosas. ¿Quiere usted ahora prestar juramento?

—No.

Su voz era sonora, joven— más joven que el rostro—, clara y limpia. Debía de cantar muy bien.

El presidente se encogió de hombros, se inclinó hacia el juez, que se hallaba sentado a su izquierda, y le dijo algunas palabras al oído.

El otro le contestó en voz baja:

—Sí, es extraordinario. No lo entiendo.

—Escuche usted —dijo el presidente, dirigiéndose de nuevo a Karaulova—. El tribunal quiere conocer las razones que la hacen negarse a prestar juramento. Sin esa condición no podemos dispensarle a usted de prestarlo. Responda.

Siempre inmóvil, impasible, la testigo respondió algo, pero con voz tan débil que no pudo oírse claramente.

—No se oye nada. Más alto; tenga la bondad.

La testigo tosió, y luego dijo en alta voz:

—Soy una prostituta.

El abogado, que estaba sumido en sus reflexiones,

levantó de pronto la cabeza y miró con curiosidad a aquella mujer.

—Convendría iluminar la sala —pensó.

El ujier, como si hubiera adivinado su pensamiento, oprimió uno tras otro los botones eléctricos. El público, los jurados y los testigos levantaron la cabeza y miraron las lámparas encendidas. Solo los jueces permanecieron indiferentes. Así se estaba aún más a gusto. Uno de los jurados, un viejo, miró a Karaulova y dijo a su vecino:

—¡Tiene gracia esa mujer!

—Sí —contestó el otro.

—Bueno —objetó el presidente—. El hecho de que sea usted una prostituta no es una razón para negarse a prestar juramento.

Pronunció la palabra «prostituta» con el mismo acento con que estaba habituado a pronunciar las palabras «asesino», «ladrón», «bandido».

—¿Usted es, con todo, cristiana?

—No, no soy cristiana. Si fuera cristiana, no sería prostituta.

La situación se complicaba. El presidente, frunciendo las cejas, consultó a su colega de la izquierda y se dispuso a hablar; pero cayó en la cuenta de que también debía consultar a su colega de la derecha, y se inclinó hacia él. El juez, sonriendo, hizo con la cabeza un signo de aprobación.

—Escuche usted —dijo el presidente, dirigiéndose a Karaulova—. El tribunal ha decidido explicarle a usted su error. Usted no se considera cristiana porque se dedica a ese oficio; pero está equivocada. Es un error, ¿comprende usted? Su oficio no le interesa al tribunal, sino solamente a usted y a su conciencia. Nosotros no podemos mezclarnos en eso. Su oficio no puede impedirle a usted el ser cristiana. ¿Comprende? Se puede ser ladrón o bandido, sin dejar por eso de ser cristiano, mahometano o judío. Todos nosotros, los jueces, los jurados, el fiscal, tenemos nuestras respectivas profesiones, y eso no nos impide el ser cristianos...

Hizo una corta pausa, como si buscase palabras, y continuó:

—¿Ha comprendido usted? Su oficio es una cosa por completo ajena a esta cuestión. Si usted practica los ritos de la religión cristiana, si frecuenta la iglesia... ¿Verdad que frecuenta la iglesia?

—No.

—¿Cómo que no? ¿Por qué?

—Con mi oficio, ¿cómo quiere usted que yo vaya a la iglesia?

—Pero irá usted a confesar.

—No.

Las respuestas eran bien claras. Iluminada por la luz eléctrica, la testigo parecía de mejor color y más joven, acaso también a causa de la emoción. A cada una de las respuestas, el público se miraba, divertido, risueño. Alguien, con aspecto de artesano, en los últimos bancos, se hallaba en el colmo del regocijo.

—¡Esto va siendo interesante! —proclamó, en voz tan poco queda, que se le oyó en toda la sala.

—Pero rezará usted...— preguntó el presidente.

—No. Antes rezaba; mas hace ya tiempo que no lo hago.

El miembro del tribunal que se encontraba a la izquierda del presidente le dijo por lo bajo:

—¿Por qué no les pregunta usted a las demás mujeres? ¿Acaso tampoco querrán prestar juramento?

El presidente tomó la lista de testigos y leyó:

—¡Pustochkina! Usted también, a lo que parece, se ocupa...

—¡Sí, también yo soy prostituta! —respondió con apresuramiento, casi con orgullo, una muchacha no menos bien trajeada.

Estaba muy contenta de verse en la sala del tribunal, donde todo le gustaba. Había ya cambiado algunas miradas con el joven abogado.

—¿Y usted? ¿Quiere prestar juramento?

—Sí, con mucho gusto.

—¿Ve usted, Karaulova? Su amiga no se opone a prestar juramento... ¿Y usted, Kravchenko? ¿Consiente?

—Sí —contestó con voz ronca, masculina, Kravchenko, una mujer alta y gruesa, con sotabarba.

—¿Ve usted, Karaulova? Todas están dispuestas a prestar juramento. ¿No cambiará usted de opinión?

Karaulova no respondió.

—¿No quiere usted?

—No.

Pustochkina le sonrió amistosamente. Karaulova, a su vez, le sonrió, y luego volvió a ponerse seria. El tribunal deliberó en voz baja, después de lo cual el presidente, con una expresión amable y al mismo tiempo respetuosa, punto menos que religiosa, se dirigió al sacerdote, que, en espera de que los testigos prestasen juramento, se mantenía un poco a distancia.

—Padre: en vista de la obstinación de esta mujer, ¿quiere usted tomarse el trabajo de persuadirla de que es cristiana? ¡Karaulova, acérquese!

Karaulova, sin descomponerse, dio dos pasos hacia delante.

El sacerdote estaba visiblemente molesto. Muy colorado, se acercó al presidente y le dijo algo al oído.

—¡No, no, padre! —le respondió el presidente—. ¡Se lo suplico a usted! Si no, las demás pueden también negarse...

Luego de arreglarse la cruz que llevaba en el pecho, el sacerdote, más colorado aún, se dirigió a Karaulova en voz apenas perceptible:

—Señora, sus sentimientos le hacen a usted honor; pero siendo cristiana...

—¡Si yo no soy cristiana!

El sacerdote miró, confuso e impotente, al magistrado, que dijo:

—Karaulova, escuche al sacerdote; él se lo explicará a usted todo.

Y el pobre sacerdote siguió:

—Todos nosotros, señora, somos pecadores. Unos pecamos de palabra; otros, de obra. Dios omnipotente, tan solo, puede ser juez de nuestra conciencia. Dócil y humildemente, debemos someternos a cuantas pruebas nos envía... Como cuenta de Job la Biblia, debemos resignarnos con nuestro destino. Sin la voluntad del Todopoderoso, ni un solo cabello puede desprenderse de nuestra cabeza. Por grandes que sean nuestros pecados y nuestros crímenes, no tenemos derecho a condenarnos nosotros mismos ni a alejarnos de la Santa Iglesia por nuestra propia voluntad; sería un crimen aun más grande e imperdonable, porque de ese modo nos mezclaríamos en las decisiones del Juez Supremo. Quizá, con motivo de su oficio de usted, le envía Dios una prueba, de la misma suerte que envía enfermedades y otras desgracias, mientras que usted, en su orgullo...

—¡Pero si nosotras no estamos nada orgullosas de nuestro oficio! No hay por qué estarlo...

—...Mientras que usted, en su orgullo, se mezcla en las decisiones del Juez Supremo y se atreve a apartarse de la Santa Iglesia Ortodoxa. ¿Usted conoce los símbolos de la fe?

—No.

—¿Pero cree usted en Nuestro Señor Jesucristo?

—¿No he de creer?

—Pues todo el que cree en Nuestro Señor debe ser considerado cristiano.

El presidente se juzgó en el deber de apoyar al sacerdote:

—Perfectamente —dijo—. ¿Comprende usted? Basta creer en Nuestro Señor Jesucristo...

—¡No, no! —repuso firmemente Karaulova—. Puedo creer todo lo que quiera; pero con este oficio... Si yo fuera cristiana, no haría las cosas que hago. Ni siquiera rezo.

—¡Es verdad! —afirmó su amiga Pustochkina—. No reza nunca. Cuando hace poco trajeron a nuestra casa un icono, se marchó para no asistir a la ceremonia. Nuestros esfuerzos para retenerla fueron inútiles. ¿Qué se le va a hacer? ¡Es así, señores jueces! Ella es la primera víctima de su carácter.

—Nuestro Señor Jesucristo —continuó el sacerdote—perdonó a la mujer perversa cuando se arrepintió.

—Pero yo no me he arrepentido.

—Ya llegará la hora en que usted se arrepienta.

—No. Quizá cuando me haga vieja o cuando me vaya a morir; pero no se trata de eso. No puede tomarse en serio semejante arrepentimiento: peca una toda su vida, años y años, y luego, cuando es ya demasiado tarde, comienza a arrepentirse... No; en cuanto a eso, sé a qué atenerme.

—Tiene razón —afirmó la joven prostituta Kravchenko, que seguía la discusión con un interés sostenido—. ¡Se divertiría, cantaría, bebería, recibiría hombres, y luego, de la noche a la mañana, a hacer penitencia! No, sería demasiado cómodo. De ese modo, hasta a los mayores pecadores les sería fácil convertirse en santos.

El joven abogado la miraba con una atención siempre en aumento. Se asombraba de no haber visto hasta entonces a aquellas mujeres y de no saber siquiera dónde se encontraba su casa de tolerancia.

El presidente hizo un gesto de desesperación y dijo al sacerdote:

—Perdóneme usted... Tozudez semejante... Dispense que la hayamos molestado...

El sacerdote saludó y volvió a su sitio. Sus manos, mientras arreglaban la cruz que pendía sobre su pecho, temblaban ligeramente.

—¡Esto es magnífico! —comentó entusiasmado, en voz queda, el artesano de los últimos bancos, volviendo a todos lados su rostro, radiante de alegría, sonriente.

El acusado, a quien contrariaba el retraso causado por la obstinación de Karaulova, la miraba con desprecio.

El tribunal deliberaba.

—Bueno. ¿Qué hacer? —decía en voz baja el presidente, furiosísimo—. Es una verdadera imbécil: la arrastran al paraíso y no quiere ir...

—Creo que deberían examinarse sus facultades mentales —dijo su vecino de la izquierda—. En la Edad Media, los tribunales condenaban a la hoguera a mujeres que no tenían nada de brujas, sino que eran simplemente histéricas.

—¡Ya comienza usted con sus concepciones patológicas! —repuso el presidente—. En ese caso deberíamos comenzar por examinar las facultades mentales del adjunto del fiscal. ¡Tenga usted la bondad de mirarle!

El adjunto del fiscal, un joven con alto cuello postizo y fino bigote, parecido de un modo extraño al acusado, se esforzaba hacía largo rato en atraer sobre su persona la atención del tribunal. Se removía en su asiento, se alzaba de él, se apoyaba sobre la mesa hasta casi tenderse, balanceaba la cabeza, sonreía y, cuando el presidente le dirigía por casualidad una mirada, avanzaba todo el cuerpo en dirección al magistrado. Era evidente que sabía algo y ardía en deseos de decírselo al tribunal.

—¿Usted quiere decir algo, señor fiscal? —le preguntó al fin el presidente—. Le suplico que sea breve.

—Permítame usted una pregunta...

Y sin esperar el permiso se puso de pie, y, fijando los ojos en Karaulova, le preguntó:

—Diga usted, testigo, ¿cuál es su nombre de pila?

—Grucha.

—Grucha es el diminutivo; pero el verdadero nombre es, si no me engaño, Agrafena, ¿no es eso? Es un nombre cristiano. Así, pues, ha sido usted bautizada y se le ha puesto tal nombre. Por consiguiente...

—No, al bautizarme me pusieron el nombre de Pelagueia.

—¿Cómo? Si acaba usted de afirmar que la llaman Grucha...

—Sí, me llaman Grucha; mas mi verdadero nombre es Pelagueia.

—¡Cómo! Entonces...

Pero el presidente le interrumpió:

—Sí, señor fiscal, tiene razón: en la lista también figura con el nombre de Pelagueia. Puede usted cerciorarse.

—Entonces, no tengo nada más que decir.

Se separó los faldones de la levita, y, lanzando una mirada severa al acusado y a su defensor, se sentó.

Karaulova esperaba. La situación se iba haciendo ridícula.

En el público se hablaba del incidente en alta voz, y el ujier, levantando amenazadoramente el dedo, trataba de restablecer el silencio para mantener incólume el prestigio del tribunal. Mas el regocijo era tan desbordante que se hacía muy poco caso de aquella advertencia.

—¡Silencio! —exclamó el presidente—. Ujier, si alguno habla alto, hágale usted salir.

En aquel momento se levantó un miembro del Jurado, un viejo delgado, huesudo, con una larga levita negra, y se dirigió al presidente:

—¿Quiere usted permitirme una pregunta?... Karaulova, ¿hace mucho tiempo que es usted prostituta?

—Ocho años.

—¿Y qué hacía usted antes?

—Era criada.

—Y, naturalmente, quien la puso a usted en el mal camino fue su amo... ¿O su hijo, quizá?

—No, el amo mismo.

—¿Y cuánto le dio a usted?

—Diez rublos, y, además, un broche de plata y un corte de traje... Tenía un gran almacén de telas.

—¿Y por eso se perdió usted para toda la vida?

—¿Qué quiere usted? Yo era joven y tonta.

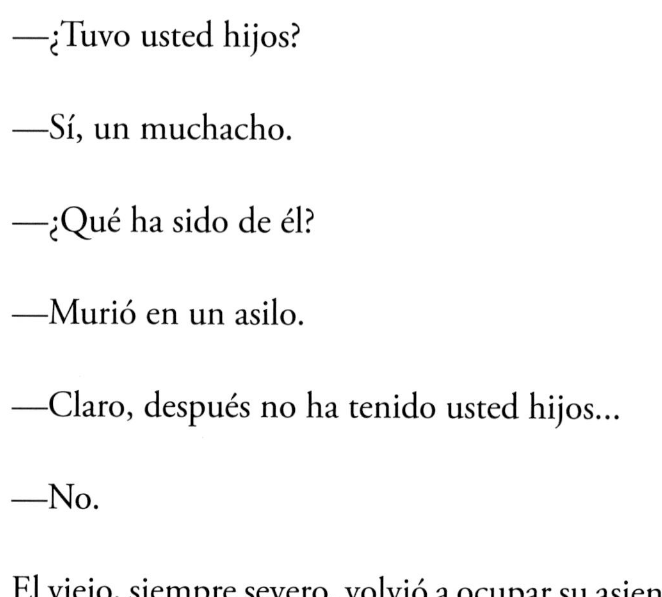

—¿Tuvo usted hijos?

—Sí, un muchacho.

—¿Qué ha sido de él?

—Murió en un asilo.

—Claro, después no ha tenido usted hijos...

—No.

El viejo, siempre severo, volvió a ocupar su asiento, y, ya sentado, dijo:

—Tienes razón: no eres cristiana. Por diez rublos perdiste tu cuerpo y tu alma.

—¡Hay viejos que dan más de diez rublos! —replicó, en defensa de Karaulova, su amiga Pustochkina—. No hace mucho estuvo en casa un viejo muy respetable... como usted...

El público soltó la carcajada.

—¡Cállese usted! —gritó, dirigiéndose a Pustochkina, el presidente—. ¡No tiene usted derecho a hablar mientras no se le pregunte!

Y viendo que otro miembro del Jurado se levantaba, preguntó:

—¿Usted también quiere hacer una pregunta?

—Sí, con su permiso —dijo, con voz fina, casi infantil, un alto y grueso comerciante, formado todo él de esferas y semiesferas: su vientre, su pecho, sus mejillas y sus labios eran redondos, abombados.

Y dirigiéndose a Karaulova, continuó:

—Escucha: tú puedes arreglar tus asuntos con Dios como quieras; pero aquí, en la tierra, debes cumplir tus deberes. Hoy te niegas a prestar juramento bajo pretexto de que no eres cristiana; quizá mañana cometas un robo o envenenes a uno de tus clientes: de mujeres como vosotras puede esperarse todo... Haces mal en obstinarte y separarte de nuestra Santa Iglesia. Si has pecado, puedes arrepentirte —para eso existen los templos—; en modo alguno rechazar tu religión, sin la cual carecerás de todo freno y creerás que todo te está permitido.

—Tal vez me haga ladrona o algo peor todavía... Desde el momento en que no soy cristiana...

El grueso comerciante se sentó, y dijo a su vecino:

—¡Imposible hacerla entrar en razón! ¡Tiene la cabeza demasiado dura!

Apenas se hubo sentado, el adjunto del fiscal se levantó:

—Permítame usted otra pregunta, señor presidente... Usted ha dicho, Karaulova, que su verdadero nombre es Pelagueia. Por consiguiente, se la bautizó con tal nombre. Así, pues, es usted cristiana, lo que consta, como es natural, en su pasaporte.

El presidente hizo una mueca, y dijo a su colega de la izquierda, bajando la voz:

—¡Nos está haciendo perder el tiempo!

Dirigiéndose a Karaulova, preguntó:

—¿Ha comprendido usted? Según sus documentos, es usted cristiana.

—Y, sin embargo, no lo soy.

—Ya ve usted, señor fiscal, no quiere comprender.

El incidente comenzaba a enojarle. La tozudez de aquella mujer turbaba el orden, paralizaba todo el mecanismo de la justicia, que solía funcionar con mucha regularidad, sin ningún entorpecimiento. Era hasta ofensivo; con toda su modestia aparente, su resignación y su humildad, aquella mujer parecía, en cierta manera, superior a los jueces, a los jurados, al público.

El ruido en la sala aumentaba, y al ujier le costaba mucho trabajo restablecer un silencio relativo. El tribunal deliberó en voz baja.

—¡Es inadmisible! —protestó uno de los jueces—. Esto no es ya un tribunal, sino más bien una casa de locos. Se diría que es ella quien nos está juzgando.

—¡La culpa no es mía! —repuso el presidente—. ¿Qué quiere usted que yo le haga? Lo peor es que las otras mujeres están de parte de esta loca. Es una verdadera rebelión contra la Iglesia.

En aquel momento, un tercer miembro del Jurado se levantó:

—¿Quiere usted decir algo? —le interrogó el presidente—. Haga el favor de darse prisa; ya hemos perdido bastante tiempo.

Era un joven de rostro en extremo inteligente, en demasía inteligente, de largos cabellos de poeta y de manos finas. Hablaba con mucho trabajo, como si se viera obligado a vencer, a cada palabra, la resistencia encarnizada del aire. En su dulce voz se adivinaba el sufrimiento:

—Es muy triste todo esto —dijo a Karaulova—. La comprendo a usted y la miro con simpatía. Sin embargo, la idea que tiene usted del cristianismo es falsa. El cristianismo es algo de más monta que las virtudes y los pecados, los ritos exteriores y las oraciones. El verdadero cristianismo consiste en una comunión mística con Dios.

—¡Perdón! —le interrumpió el presidente—. Karaulova, ¿comprende usted lo que quiere decir «mística»?

—No.

—Ya lo ve usted, señor miembro del Jurado: no le entiende a usted. Tenga la bondad de hablar más sencillamente.

—Bueno. Escúcheme bien, Karaulova: la base del cristianismo es la imagen de Cristo. Las virtudes y los pecados no son sino categorías pasajeras, emanaciones personificadas de la especie humana, la esfinge enigmática, por decirlo así.

—Señor jurado —le interrumpió una vez más el presidente—. Yo tampoco comprendo nada. ¿No podría usted encontrar términos más claros?

—Lo siento; pero no me es posible —dijo con tono melancólico el jurado—. No se puede hablar de las cosas místicas en términos vulgares... ¿No me entiende usted, Karaulova? Hay que estar en comunión con Dios.

—Eso es imposible para mí... Cuando se tiene este oficio, no se puede estar en comunión con Dios. Ni siquiera me atrevo a encender una lamparilla ante el icono de mi cuarto.

Todos estaban fatigados.

—¡Hay que acabar, cueste lo que cueste! —dijo uno de los jueces—. ¡Es un escándalo inadmisible!

Pero, luego del jurado, se levantó el defensor.

—¿Aún más? —exclamó el presidente—. ¿Usted también quiere decir algo?

—Puesto que usted ha permitido hablar al señor adjunto del fiscal...

—¿Usted tiene que hablar también? —preguntó con ironía el presidente—. Bueno, está usted en su derecho. Pero le suplico que sea lo más breve posible.

El abogado, haciendo un ademán elegante con su mano derecha, se volvió hacia el Jurado y comenzó:

—Los ejercicios oratorios del señor adjunto del fiscal...

—Señor abogado, no puedo permitir polémicas.

—Bueno, obedezco.

Se volvió de nuevo hacia el Jurado, le contempló con una larga mirada, clara y franca, y quedó un instante pensativo, cabizbajo, levantadas ambas manos a la altura del pecho, los ojos entornados, las cejas fruncidas. Los jurados y el público le miraban con interés, esperando algo extraordinario; solo los jueces, habituados a las maneras oratorias de aquel señor, permanecían indiferentes. Después, poco a poco, el defensor salió de su estado de postración; cayeron sus manos, abrió luego los ojos, levantó la cabeza y, al cabo, pronunció con solemne acento:

—¡Señores jurados y señores jueces!

Su voz produjo un efecto extraño: ora murmuraba, bien que de manera bastante fuerte para ser oído; ora gritaba, ora hacía una larga pausa, fijando los ojos en algún jurado, que, azorándose, no tardaba en volver a otro lado los suyos.

—Señores jurados y señores jueces: Acaban ustedes de oír el discurso del señor adjunto del fiscal. Estarán, sin duda, de acuerdo conmigo si les digo que la presión ilegal e inadmisible que trataba de ejercer el señor adjunto del fiscal...

—Señor defensor, no puedo permitirle a usted ultrajar aquí a los representantes del poder establecido. Si continúa en ese tono, me veré obligado a retirarle la palabra.

El abogado saludó.

—Bueno, obedezco. He querido solo decir, señores jurados, que la señora Karaulova no renunciará a sus convicciones aunque se le amenace con hacerla quemar en una hoguera y con todos los horrores de la Inquisición, lo que, por fortuna, es imposible en nuestra época. En la persona de la señora Karaulova vemos, señores jurados, algo así como el reverso de la mártir cristiana. En nombre de Cristo, renuncia a Cristo, y diciendo siempre «no», dice, en realidad, «sí».

Se iba arrebatando con su propia elocuencia. En su entusiasmo oratorio, hasta sintió un escalofrío, y, con voz conmovida, añadió:

—Sí, es cristiana y voy a probároslo, señores jurados. Las declaraciones de las señoras Pustochkina y Kravchenko, así como las confesiones de Karaulova misma, nos han trazado, de modo elocuente, el camino por donde ha llegado a esta terrible situación. Muchacha inexperta, ingenua, que acaba, acaso, de dejar la aldea, con sus alegrías sencillas e inocentes, cae en manos de un repugnante sátiro, y ve, horrorizada, que ha quedado encinta. Habiendo dado a luz en cualquier parte, bajo un cobertizo, un niño...

—Abrevie usted, si le es posible, señor defensor —dijo el presidente—. Sabemos desde el principio que Karaulova es una prostituta. Los señores jurados no son unos niños y comprenden muy bien, sin que haya que explicárselo, cómo se llega a prostituta. Por otra parte, la testigo no es una campesina, sino una hija de la ciudad de Vorones.

—Bueno, obedezco, señor presidente; por más que las hijas de las ciudades tienen también sus pequeñas alegrías sencillas... El caso es que la señora Karaulova lleva en su corazón un ideal de verdadera cristiana. Por desgracia, la triste realidad, con los viejos perversos, la embriaguez, el desorden y los ultrajes, maltrata y desnaturaliza ese ideal. Y en este choque trágico, el corazón de Karaulova se desgarra. ¡Señores jurados! La veis ahí tranquila, casi sonriente; pero ¿sabéis cuántas lágrimas amargas han vertido esos ojos en el silencio de la noche, cuántas flechas agudas de remordimientos de conciencia se han clavado en ese corazón de mártir? ¿Acaso no querría ella ir a la iglesia, como las mujeres honradas, y confesarse con el sacerdote, vestida con un traje blanco, símbolo de pureza, y no como mujer menospreciada y desdeñada? Tal vez, en sus sueños nocturnos, se vea de rodillas en las gradas de piedra del templo, sintiéndose indigna de entrar en él y llorando desconsolada. ¡Y pretende que no es cristiana! ¿Quién, entonces, merece el nombre de cristiano si ella no lo es? Con sus lágrimas ha hecho penitencia, como la Magdalena, y sus lágrimas la han purificado para siempre, convirtiendo en mártir cristiana a esta pecadora.

—¡Nada de eso es verdad! —le interrumpió Karaulova—. No he llorado ni hecho penitencia. Y continúo con mi oficio; por tanto, no me he arrepentido. ¡Miren ustedes! —Abrió su bolso y sacó el portamonedas, tomó dos piezas de a rublo y un poco de plata menuda y se los enseñó al abogado y a los jueces—. ¡Miren! Este dinero lo he ganado con mi oficio. Este traje también, así como este sombrero y estos pendientes. No tengo nada, absolutamente nada que no haya ganado así. Ni mi cuerpo me pertenece; está vendido por tres años, quizá por toda la vida, que no es mucho decir, puesto que nuestra vida es corta. No, no me hable usted de penitencia. No solo no me arrepiento, sino que no tengo vergüenza ni conciencia. Que me digan que me quede en cueros, y me quedaré. Que me digan que escupa a la cruz, y escupiré.

Kravchenko empezó de pronto a llorar. Lágrimas abundantes caían sobre su pecho, como sobre una ancha bandeja.

—Entre nosotras —continuó Karaulova—no se respeta nada, ni moral, ni religión. El otro día me casaron, en broma, con uno de los clientes. Toda la ceremonia fue un sacrilegio. Se hizo burla de cuanto se considera sagrado... ¡No, no, no hago penitencia! No voy a la iglesia, y no solo no lloro en sus gradas de piedra, como ha dicho el señor abogado, sino que hasta evito pasar por delante. No rezo, y ni siquiera sé rezar. Ignoro con qué palabras debe una dirigirse a Dios. ¿Y qué pedirle? ¿Ganar el reino de los cielos?

No creo en él. Aquí abajo, las oraciones no dan gran resultado; yo recé en otro tiempo para que mi hijo no se separase de mí, y murió en un asilo. Yo pedí, cuando aun era joven, muchas cosas a Dios, y mis oraciones no sirvieron de nada. Ya no rezo nunca... No, señores, no soy cristiana, y cuanto el señor abogado ha dicho es una monserga. ¡Soy Grucha la prostituta, y nada más! Por eso, ni puedo ni quiero prestar juramento...

—Señor presidente —dijo, levantándose, el adjunto del fiscal—. En vista de que Karaulova ha mencionado aquí casos de sacrilegio, yo quisiera, en mi calidad de representante de la autoridad pública, que me diese los nombres de quienes cometieron tal acto.

—¡No hubo sacrilegio ninguno! —contestó Karaulova—. Estaban todos borrachos. Además, no recuerdo los nombres.

El adjunto del fiscal se sentó, descontento.

—Entonces, ¿no prestará usted juramento? —interrogó el presidente a Karaulova.

—No.

—¿Y ustedes? —preguntó, dirigiéndose a Kravchenko.

—Nosotras aceptamos.

El tribunal deliberó largamente, hasta invitó al adjunto del fiscal a dar su opinión. Al fin, el presidente hizo conocer la decisión tomada:

—En vista de las opiniones no cristianas de Karaulova, el tribunal le permite que haga su declaración sin prestar juramento.

Los demás testigos se acercaron al altarcito, ante el cual esperaba el sacerdote.

—¡Levantaos! —proclamó en alta voz el ujier.

Todo el mundo en la sala se levantó y volvió la cabeza hacia el altarcito.

—¡Levantad la mano! —dijo el sacerdote.

Todos obedecieron.

—¡Repetid lo que voy a decir!

Luego, cambiando de voz, continuó en tono más solemne:

—Me comprometo y juro...

Los testigos repitieron en voces diferentes, y no todos a una:

—Me comprometo y juro...

—Ante Dios Todopoderoso y ante su Santo Evangelio...

—Ante Dios Todopoderoso y ante su Santo Evangelio...

El presidente lanzó un suspiro de satisfacción; al fin, todo estaba arreglado, y el mecanismo judicial, después de aquel entorpecimiento, funcionaba con regularidad, como es necesario.

Los testigos, excepto Karaulova, fueron alejados de la sala.

—Karaulova —dijo el presidente—. El tribunal le permite a usted no prestar juramento; pero no olvide usted que debe decir toda la verdad, según su conciencia. ¿Lo promete usted?

—No puedo prometerlo, porque no tengo conciencia.

—¿Y qué quiere usted que hagamos nosotros? —exclamó con desesperación el presidente—. Le pedimos que diga la verdad. ¿Comprende usted?

—Diré lo que sepa.

Media hora más tarde, el interrogatorio de los testigos había terminado. El mecanismo judicial funcionaba de nuevo regularmente. Las preguntas eran seguidas de respuestas. El adjunto del fiscal tomaba notas. El reportero dibujaba, con aire grave y atareado, cabezas de mujeres. El acusado daba explicaciones detalladas.

—En cuanto al recibo del Monte de Piedad, tengo el honor de declarar al tribunal...

—En cuanto a mis visitas a la casa de tolerancia, donde, según la acusación, gasté sumas muy fuertes, solo estuve en ella cuatro veces: el 21 de diciembre, el 7 de enero, el 25 de enero y el 1 de febrero. Las tres primeras veces todos mis gastos fueron pagados por mi camarada Protasov; la cuarta vez pagué una suma insignificante, lo que puedo probar con la cuenta del ama...

La sala se hallaba bien alumbrada, y se estaba allí a gusto. Fuera caía, en gruesos copos, la nieve. La justicia seguía su curso como una máquina perfecta.

BEN-TOVIT

El día terrible en que se realizó la mayor injusticia del mundo, en que se crucificó en el Gólgota, entre dos bandidos, a Cristo, ese mismo día, el comerciante de Jerusalén Ben-Tovit tenía, desde por la mañana, un dolor horrible de muelas.

Le había comenzado la víspera, al anochecer. Ben-Tovit experimentó en el lado derecho de la mandíbula, en la muela contigua a la del juicio, una sensación singular, como si se le hubiera elevado un poco sobre las otras; cuando la rozaba con la lengua, sentía un ligero dolor. Pero después de comer, la molestia pasó, Ben-Tovit la olvidó y acabó de tranquilizarse con el cambio de su viejo asno por otro joven y vigoroso, negocio que le puso de buen humor.

Durmió con un sueño profundo; pero, al amanecer, algo vino a turbar su sueño. Se diría que alguien llamaba a Ben-Tovit para algún grave asunto. No pudiendo ya resistir aquella inquietud, se despertó y se dio cuenta al punto de que tenía dolor de muelas. Entonces era un dolor franco y claro, muy violento, un dolor agudo e insoportable. Y no se podía ya comprender si lo que le dolía era la muela de la tarde anterior o las demás contiguas a ella. Toda la boca y toda la cabeza le dolían, como si estuviese mascando millares de clavos ardiendo. Se enjuagó la boca con un poco de agua del cántaro; durante unos momentos el dolor se aplacó, y Ben-Tovit experimentó una ligera tirantez en las muelas. Dicha sensación, comparada con el dolor de hacía un instante, era incluso agradable. Ben-Tovit se acostó otra vez, se acordó de su nuevo asno y pensó que sería del todo feliz a no ser por el dolor de muelas. Trató de volver a dormirse. Pero cinco minutos después el dolor comenzó de nuevo, más cruel que antes. Ben-Tovit se sentó en la cama y empezó a balancear el cuerpo acompasadamente. Su rostro adquirió una expresión de sufrimiento, y en su gran nariz, que había palidecido, apareció una gota de sudor frío.

Así, balanceándose y gimiendo lastimeramente, permaneció hasta la salida del sol —de aquel sol que estaba predestinado a ver el Gólgota con sus tres cruces y a eclipsarse de horror y de tristeza.

Ben-Tovit era un buen hombre, a quien repugnaba la injusticia. No obstante, cuando su mujer se levantó, le dijo mil cosas desatentas, lamentándose de que le hubiera dejado solo y no hubiera hecho ningún caso de sus terribles sufrimientos.

La mujer no se incomodó por estos reproches injustos; no ignoraba que era el dolor, y en modo alguno la maldad, lo que hacía hablar así a su marido. Lo auxilió, solícita, con no pocos remedios: una cataplasma, en la mejilla, de estiércol seco y pulverizado; una infusión muy fuerte de aguardiente y huesos de escorpión; un pedazo de la piedra en que estaban escritos los diez mandamientos, y que Moisés rompió en su cólera.

El estiércol aplacó un poco el dolor de Ben-Tovit, pero por breve tiempo. Los otros remedios produjeron el mismo efecto y, siempre tras un corto alivio, el dolor volvía a empezar con redoblada fuerza. Durante los escasos momentos de tregua, Ben-Tovit procuraba olvidarlo completamente, poniendo el pensamiento en su nuevo asno; pero cuando se hacía sentir otra vez, empezaba a gemir, a insultar a su mujer y a decir que se iba a romper la cabeza contra la pared.

Sin cesar iba y venía por el terrado de su casa, sin acercarse demasiado a la barandilla, para que los transeúntes no le vieran con la cabeza envuelta en un pañuelo, como una mujer. Con frecuencia, sus hijos acudían junto a él y referían, interrumpiéndose, algo relativo a Jesús Nazareno. Ben-Tovit se detenía entonces un instante para escucharlos; pero ponía luego cara de pocos amigos, hería iracundo el suelo con el pie y echaba a los niños; aunque era un hombre de buen corazón y aunque amaba a sus hijos, se enojaba con ellos, lleno de fastidio, al oír aquellas naderías. Le enfadaba también que la calle y los terrados de las casas vecinas estuvieran llenos de gente que no hacía nada y le miraba con curiosidad pasearse con la cabeza envuelta en un pañuelo, como una mujer. Quería ya bajar, cuando su mujer le dijo:

—Mira, conducen a los bandidos; quizá eso te distraiga.

—¡Déjame en paz! —respondió colérico Ben-Tovit—. ¿No ves lo que sufro?

Pero había en la proposición de su mujer algo como una promesa vaga de que el dolor de muelas se le aplacaría si miraba a los bandidos, y se acercó a la barandilla. La cabeza inclinada a un lado, un ojo cerrado, la mano en la mejilla, miró hacia abajo.

A lo largo de la estrecha calle empinada marchaba, en completo desorden, una multitud enorme, levantando gran polvareda. Se oían gritos, centenares de voces mezcladas. En medio de la multitud, encorvados bajo el peso de las cruces, avanzaban los condenados. Por encima de sus cabezas, semejantes a serpientes negras, chasqueaban los látigos de los soldados romanos. Uno de los condenados —el que tenía largos cabellos rubios y llevaba las vestiduras rotas y ensangrentadas— tropezó en una piedra que le habían tirado y cayó.

Redobló sus gritos la multitud, que parecía un mar agitado cubriendo con sus olas la superficie de un islote.

Ben-Tovit, de repente, sintió tal dolor que se estremeció, como si alguien le hubiera horadado la muela con una aguja. Lanzó un gemido lastimero y se apartó de la barandilla, encolerizadísimo, importándole un bledo cuanto sucedía en la calle.

—¡Dios mío, cómo gritan! —gruñó, imaginándose las bocas muy abiertas, con las muelas no atormentadas por el dolor.

A no ser por el que le hacía ver las estrellas, hubiera podido gritar como los demás, quizá más fuerte aún. Al pensar en esto, se hizo más cruel su sufrimiento, y Ben-Tovit empezó a balancear furiosamente la cabeza y a lanzar gritos.

—Cuentan que curaba a los ciegos —dijo su mujer, que no se apartaba de la barandilla ni dejaba de mirar abajo.

Y tiró una piedrecita al sitio por donde pasaba Jesús, que avanzaba lentamente, medio muerto ya a latigazos.

—¡Tonterías! —respondió Ben-Tovit con acento burlón—. ¡Si posee, en efecto, el don de curar, que me cure a mí el dolor de muelas!

Y tras un corto silencio, añadió:

—¡Dios mío, qué polvareda han levantado! ¡Ni que fueran un rebaño! Debían de echarlos a palos. ¡Llévame abajo, Sara!

Su mujer tenía razón. El espectáculo le había distraído un poco, o quizá el estiércol pulverizado le había aliviado. El caso es que no tardó en dormirse. Cuando se despertó, el dolor había desaparecido casi por completo; solo el lado derecho de la mandíbula parecía ligeramente hinchado; tan ligeramente, que apenas se notaba. Al menos, así lo aseguraba su mujer. Ben-Tovit, escuchándola, sonreía maliciosamente; bien sabía que a su mujer, por su bondad de corazón, le gustaba decir cosas agradables.

Un rato después llegó su vecino, el peletero Samuel. Ben-Tovit le enseñó su nuevo asno, y, lleno de orgullo, escuchó los plácemes de Samuel a propósito del cuadrúpedo.

Después, a ruegos de Sara, que era muy curiosa, se dirigieron los tres al Gólgota, a ver a los crucificados. Por el camino, Ben-Tovit refirió a Samuel, sin omitir detalles, cómo había tenido dolor de muelas, cómo sintió al principio la molestia en el lado derecho de la mandíbula, cómo se había despertado al amanecer, atacado, súbitamente, de un dolor insoportable. Para dar una idea más exacta de sus sufrimientos, hacía muecas, cerraba los ojos, balanceaba la cabeza y gemía. Su vecino asentía compasivamente, acariciando su larga barba blanca, y decía:

—¡Dios mío! ¡Es terrible!

A Ben-Tovit le complacía observar que Samuel apreciaba toda la intensidad de sus sufrimientos recientes. Refirió por segunda vez cuanto le había sucedido. Después recordó que hacía ya mucho tiempo había tenido un dolor de muelas, pero en el lado izquierdo de la mandíbula inferior.

Así, en conversación animada, subieron al Gólgota. El sol, condenado a alumbrar el mundo durante aquel día terrible, se había ya ocultado tras las colinas lejanas. En el firmamento, hacia el Oeste, llameaba, semejante a un rastro de sangre, una ancha banda roja. Sobre el fondo del cielo se destacaban vagamente las cruces. Al pie de la de en medio podían distinguirse siluetas humanas prosternadas.

La multitud se había ido hacía tiempo. Comenzaba a sentirse frío.

Después de dirigir una mirada distraída a los crucificados, Ben-Tovit cogió a Samuel del brazo, y los tres se encaminaron a la casa. Ben-Tovit experimentaba un deseo violento de seguir hablando, y comenzó de nuevo a hablar del dolor que había tenido. Así, charlando, caminaban Gólgota abajo. Ben-Tovit, animado por las exclamaciones de compasión que profería de vez en cuando su vecino, daba a su rostro una expresión de sufrimiento, cerraba los ojos, balanceaba la cabeza, gemía, mientras de las profundas simas de la montaña y de las llanuras lejanas ascendía la oscura noche, que parecía deseosa de ocultar al cielo el gran crimen que se acababa de cometer sobre la tierra.

UN HOMBRE ORIGINAL

Un corto silencio reinó entre los comensales, y en medio del murmullo de las conversaciones, alrededor de las mesas lejanas y del ruido ahogado de los pasos de los criados, que traían y llevaban los platos, alguien declaró con voz dulce y tranquila:

—¡A mi me encantan las negras!

Antón Ivanich, el subjefe de la oficina, por poco deja caer la copa de *vodka* que se llevaba a los labios; un criado dirigió al que había pronunciado tales palabras una mirada de asombro; todos volvieron la cabeza para ver quién había dicho aquella cosa extraña. Y todo el mundo vio la carita con bigotito rojo, los ojillos opacos y la cabecita cuidadosamente peinada de Semen Vasilievich Kotelnikov.

Durante cinco años habían trabajado con él en la oficina; todos los días le daban la mano al llegar y al marcharse; todos los días le hablaban; todos los meses, después de cobrar, comían con él, como aquel día, en un restaurante, y, no obstante, se les antojaba que aquel día lo veían por primera vez. Lo vieron y se llenaron de extrañeza. Observaron que no era feo del todo, a pesar de su absurdo bigote y sus pecas, semejantes a las salpicaduras de barro lanzadas por un automóvil. Observaron también que no vestía mal y que llevaba un cuello muy limpio.

El subjefe, después de fijar largamente su mirada de asombro en Kotelnikov, dijo:

—Pero Semen...

—¡Semen Vasilievich! —pronunció con cierta dignidad, Kotelnikov.

—Pero Semen Vasilievich, ¿le gustan a usted las negras?

—Sí, me gustan mucho.

El subjefe miró con ojos de pasmo a todos los empleados sentados a la mesa, y soltó la carcajada:

—¡Ja, ja, ja! ¡Le gustan las negras! ¡Ja, ja, ja!

Y todos se echaron a reír, incluso el grueso y enfermizo Polsikov, que no se reía nunca. El mismo Kotelnikov se rió, un poco confuso, y enrojeció de gusto; pero al mismo tiempo le asaltó un ligero temor: el de que aquello le causase disgustos.

—¿Lo dice usted seriamente? —preguntó el subjefe cuando acabó de reírse.

—¡Y tan seriamente! Hay en las mujeres negras un gran ardor y algo... exótico.

—¿Exótico?

Se echaron de nuevo a reír; pero al mismo tiempo todos pensaron que Kotelnikov era seguramente un hombre listo e instruido, cuando conocía una palabra tan extraña: «exótico». Luego empezaron a discutir, asegurando que no era posible que le gustasen las negras; además de ser negras, tenían la piel como cubierta de barniz, y los labios gruesos, y olían mal.

—¡Y, sin embargo, me gustan! —insistió modestamente Kotelnikov.

—¡Allá usted! —dijo el subjefe—. Yo, por mi parte, detesto a esas bestias color de betún.

Todos sintieron una especie de satisfacción al pensar que había entre ellos un hombre tan original que se pirraba por las negras. Con este motivo, los comensales de Kotelnikov pidieron seis botellas más de cerveza. Miraban con cierto desprecio a las otras mesas, en las que no había un hombre de tanta originalidad.

Las conversaciones terminaron. Kotelnikov estaba orgullosísimo de su papel. Ya no encendía él sus cigarrillos, sino que esperaba a que el criado se los encendiese.

Cuando las botellas de cerveza estuvieron vacías, se pidieron otras seis. El grueso Polsikov dijo a Kotelnikov en tono de reproche:

—¿Por qué no nos tuteamos? Ya que desde hace tantos años trabajamos juntos...

—¡No tengo inconveniente! ¡Con mucho gusto! —aceptó Kotelnikov.

Tan pronto se entregaba de lleno a la alegría de verse, al fin, comprendido y admirado, como sentía el vago temor de que le pegasen.

Después de beber «Brudeschaft» —Hermandad— con Polsikov, bebió con Troitzky, Novoselov y otros camaradas; cambiaba besos con todos y los miraba con ojos amorosos y tiernos.

El subjefe no bebió «Brudeschaft» con él, pero le dijo amistosamente:

—Venga usted por casa alguna vez. Mis hijas verán con curiosidad a un hombre a quien le gustan las negras.

Kotelnikov saludó, y aunque se tambaleaba un poco a causa de la cerveza, todos convinieron en que era muy *chic*.

Después de irse el subjefe, bebieron más, y todos juntos salieron a la calle, tropezando con los transeúntes. Kotelnikov marchaba en medio de sus camaradas, sostenido por Polsikov y Troitzky.

—No, muchacho —decía—; no puedes comprenderlo. En las negras hay algo exótico.

—Tonterías —contestaba severamente Polsikov—. No sé lo que puede encontrarse en ella. Del color del betún...

—No, amigo; careces de gusto. La negra es una cosa...

Hasta entonces no había pensado nunca en las negras, y no acertaba a dar con la definición justa.

—¡Tienen temperamento!

Pero Polsikov no se dejaba convencer y seguía discutiendo.

—¡Haces mal en discutir! —le dijo Troitzky—.

Nuestro amigo Kotelnikov tendrá sus razones. Además, sobre gustos no hay nada escrito.

Y dirigiéndose a Kotelnikov, añadió:

—¡No hagas caso, Semen! Sigue pirrándote por tus negras. Estoy tan contento, que tengo ganas de armar un escándalo.

—A pesar de todo, no lo comprendo —insistía Polsikov—. Del color del betún... Para mí, ni siquiera son mujeres.

—¡No, amigo, te engañas! —insistía a su vez Kotelnikov—. Porque, mira, hay algo en las negras...

Iban tambaleándose un poco, ligeramente borrachos, hablando en alta voz, tropezando con la gente y muy satisfechos de sí mismos.

Una semana después, todo el departamento sabía ya que al empleado público Kotelnikov le gustaban mucho las negras. Algunas semanas más tarde, este hecho era ya conocido por los porteros de todo el barrio, por los solicitantes que acudían a la oficina, hasta por el agente de policía de servicio en la esquina de la calle. Las señoritas mecanógrafas de las secciones vecinas se asomaban un instante a la puerta para ver al hombre original a quien le gustaban las negras. Kotelnikov recibía estas muestras de atención con su modestia habitual.

Un día se decidió a hacer una visita a su subjefe; mientras tomaba te con confitura de cerezas, hablaba de las negras y de algo exótico que había en ellas. Las muchachas menores parecían un poco confusas; pero la mayor, Nastenka, que gustaba de leer novelas, estaba visiblemente intrigada e insistía en que Kotelnikov le explicase las verdaderas razones de su afición a las negras.

—¿Por qué justamente las negras? —le preguntaba.

Todos estaban contentos, y cuando Kotelnikov se fue, hablaron de él con afecto. Nastenka llegó a declarar que era víctima de una pasión enfermiza. Lo cierto era que a ella le había caído en gracia. Nastenka también le causó cierta impresión a Kotelnikov; pero él, como hombre a quien solo le gustaban las negras, creyó de su deber ocultar su inclinación hacia la muchacha, y, sin dejar de ser cortés, manifestose con ella un poco reservado.

Al volver a casa por la noche, se puso a pensar en las negras, en su cuerpo color de betún, cubierto de sebo, y le parecieron repulsivas. Al imaginarse que abrazaba a una, sintió náuseas y le dieron ganas de llorar y de escribirle a su madre, residente en provincias, que acudiera inmediatamente como si un grave peligro le amenazase. Al cabo logró dominarse. Cuando a la mañana siguiente llegó a la oficina, bien peinado y vestido, con una corbata encarnada y cierta cara de misterio, no cabía duda de que a aquel hombre le encantaban las negras.

Poco tiempo después, el subjefe, que manifestaba un gran interés por Kotelnikov, le presentó a un revistero de teatros. Este, a su vez, le condujo a un café cantante y le presentó al director, el señor Jacobo Duclot.

—Este señor —dijo el revistero al director, haciendo avanzar a Kotelnikov—adora a las negras. Nada más que a las negras; las demás mujeres le repugnan. ¡Un original de primer orden! Me alegraría mucho si usted, Jacobo Ivanich, pudiera serle útil; es muy interesante, y tales tendencias... ¿comprende usted?... hay que alentarlas.

Dio unos golpecitos amistosos en la angosta espalda de Kotelnikov. El director, un francés de bigote negro y belicoso, miró al cielo como buscando una solución, y con un gesto decidido, exclamó:

—¡Perfectamente! Ya que le gustan a usted las negras, quedará satisfecho: tengo precisamente en mi *troupe* tres hermosas negras.

Kotelnikov palideció ligeramente, lo que no advirtió el director, absorto en sus cavilaciones sobre el café cantante.

—Tiene usted que darle un billete gratuito para toda la temporada.

El director consintió.

A partir de aquella misma tarde, Kotelnikov empezó a hacerle la corte a una negra, miss Korrayt, que tenía lo blanco de los ojos del tamaño de un plato y la pupila no más grande que una olivita. Cuando, poniendo tal máquina en movimiento, jugaba ella los ojos con coquetería, Kotelnikov sentía recorrer su cuerpo un frío mortal y flaquear sus piernas. En aquellos momentos experimentaba un gran deseo de abandonar la capital e irse a ver a su pobre madre.

Miss Korrayt no sabía palabra de ruso; pero, por fortuna, no faltaron intérpretes voluntarios que se encargaron gustosísimos de la delicada misión de traducir los cumplimientos entusiásticos que la negra dirigía a Kotelnikov.

—Dice que no ha visto en su vida a un *gentlemán* tan guapo y simpático. ¿No es eso, miss Korrayt?

Ella agitaba la cabeza afirmativamente, enseñaba su dentadura, parecida al teclado de un piano, y volvía a todos lados los platos de sus ojos. Kotelnikov movía también la cabeza, saludando, y balbuceaba:

—Hagan el favor de decirle que en las negras hay algo exótico.

Y todos estaban tan contentos.

Cuando Kotelnikov besó por primera vez la mano a miss Korrayt, la emocionante escena tuvo por testigos a todos los artistas y a no pocos espectadores. Un viejo comerciante, incluso lloró de entusiasmo en un acceso de sentimientos patrióticos. Después se bebió champán. Kotelnikov tuvo palpitaciones, guardó cama durante dos días y muchas veces empezó a escribirle a su madre: «Querida mamá» —escribía— y su debilidad le impedía siempre terminar la carta.

A los tres días, cuando llegó a la oficina, le dijeron que su excelencia el director quería verle.

Se arregló con un cepillo el pelo y el bigote, y, lleno de terror, entró en el gabinete de su excelencia.

—¿Es verdad que a usted... que a usted...?

El director buscaba palabras.

—...¿Que a usted le gustan las negras?

—¡Sí, excelentísimo señor!

El director miró con ojos asombrados a Kotelnikov, y preguntó:

—Pero vamos... ¿por qué le gustan a usted?

—¡Ni yo mismo lo sé, excelentísimo señor!

Kotelnikov sintió de pronto que el valor le abandonaba.

—¿Cómo? ¿No lo sabe usted? ¿Quién va a saberlo, pues? Pero no se turbe usted, joven. Sea franco. Me place ver en mis subordinados cierto espíritu de independencia... naturalmente, si no traspasa ciertos límites definidos por la ley. Bueno, dígame francamente, como si hablase usted con su padre, por qué le gustan las negras.

—¡Hay en ellas algo exótico, excelentísimo señor!

Aquella noche, en el Club Inglés, jugando a la baraja con otras personas importantes, su excelencia dijo entre dos bazas:

—Tengo en mi departamento un empleado a quien le gustan las negras. Pásmense ustedes. ¡Un simple escribiente!

Sus compañeros de juego eran también excelencias, directores de departamento, y experimentaron al oírle un poco de envidia; cada uno de ellos tenía también a sus órdenes un ejército de empleados; pero eran todos hombres grises, opacos, sin ninguna originalidad, vulgares.

—Y yo, pásmense ustedes —dijo una de las excelencias—, tengo un empleado con un lado de la barba negro y el otro rojo.

Esperaba así tomar revancha; pero todos comprendieron que una barba, no ya como aquella, sino policroma, no tenía importancia comparada con una pasión extravulgar por las negras.

—¡Afirma ese hombre original que hay en las negras algo exótico! —añadió su excelencia.

Poco a poco, la popularidad de Kotelnikov en los

círculos burocráticos de la capital llegó a ser muy grande. Como sucede siempre, quisieron imitarle; mas sus imitadores sufrieron fracasos lamentables. Uno de ellos, un viejo escribiente que contaba veintiocho años de servicio y sostenía una numerosa familia, declaró de repente que sabía ladrar como un perro, y no tuvo ningún éxito. Otro empleado, muy joven aún, simuló estar perdidamente enamorado de la mujer del embajador chino; durante algún tiempo logró atraer sobre él la atención y aun la compasión; pero la gente experimentada no tardó en comprender que aquello no era sino una imitación miserable de una auténtica originalidad, y todos le volvieron con desprecio la espalda.

Hubo otras muchas tentativas de la misma índole. En general, se notaba entre los empleados públicos cierta inquietud de ánimo, que se traducía en esfuerzos por ser original.

Un joven de buena familia, no logrando encontrar medio de ser original, acabó por decirle a su jefe una porción de groserías, y, naturalmente, tuvo que abandonar al punto su empleo.

Kotelnikov se creó muchos enemigos. Afirmaban insidiosamente que estaba en ayunas en lo atañedero a las negras. Sin embargo, no mucho después, un periódico publicó una entrevista con él, en la que Kotelnikov declaraba francamente que le gustaban las negras porque había en ellas algo exótico.

A partir de aquel día, su estrella comenzó a brillar con más fulgor aún. A la sazón visitaba frecuentemente a la familia de su subjefe, que le recibía con los brazos abiertos. Nastenka lloraba a veces pensando en el terrible destino reservado a aquel aficionado a las negras. Kotelnikov, sentado a la mesa, sentía sobre él las miradas de piedad de toda la familia y se esforzaba en dar a su rostro una expresión melancólica y al mismo tiempo exótica. Todos estaban muy satisfechos de que un hombre tan original frecuentara la casa, en calidad de buen amigo; todos, incluso la abuela sorda que lavaba los platos en la cocina.

El hombre original se retiraba tarde a casa y lloraba desconsolado, porque amaba a Nastenka con toda su alma y no podía ver a miss Korrayt.

Hacia las Pascuas se corrió la voz de que Kotelnikov se casaba con miss Korrayt, la cual, con tal motivo, se convertía a la religión ortodoxa y abandonaba el café cantante del señor Jacobo Duclot. Según los mismos rumores, el propio director había consentido en ser el padrino del joven esposo.

Los compañeros, los solicitantes y los porteros felicitaban a Kotelnikov, que les daba las gracias y saludaba con la muerte en el alma.

La velada anterior a su boda la pasó en casa del subjefe. Le recibieron como a un héroe, y todos parecían muy contentos, excepto Nastenka, que se iba a su cuarto de vez en cuando a llorar a sus anchas, y que, para ocultar las huellas del llanto, se ponía tantos polvos que se desprendían de su faz en tanta abundancia como la harina de una piedra de molino.

Durante la cena todos felicitaban al novio y brindaban en honor suyo. El propio subjefe, que se había excedido un poco en la bebida, le dirigió una pregunta algo turbadora:

—¿Podría usted decirme de qué color serán los niños?

—¡Serán a rayas! —observó Polsikov.

—¿Cómo a rayas? —exclamaron, asombrados, los asistentes.

—Muy sencillo: una raya blanca, otra negra; una raya blanca, otra negra... Como las cebras —explicó Polsikov, a quien le inspiraba gran lástima su desgraciado amigo.

—¡No, no es posible! —exclamó Kotelnikov, poniéndose muy pálido.

Nastenka no podía ya contener las lágrimas, y, sollozando, huyó a su cuarto, llenando de emoción a los asistentes.

Durante dos años, Kotelnikov pareció el hombre más feliz de la tierra, y daba gusto verle. Hasta fue recibido un día con su mujer por el propio director. Cuando llegó a ser padre de un hijo se le dio, a modo de subsidio, una suma bastante crecida, y se le ascendió.

El hijo no era a rayas. Tenía un tinte ligeramente gris, más bien color de oliva. Kotelnikov decía a todos que estaba encantado con su mujer y con su hijo; pero nunca se daba prisa en volver a casa, y, cuando volvía, se detenía largo rato ante la puerta. Cuando su mujer salía a abrirle y le enseñaba su dentadura, semejante al teclado de un piano, y lo blanco de sus ojos, grande como un plato, cuando se estrechaba contra él, el pobre experimentaba una repulsión invencible y pensaba, con un dolor cruel, en los seres dichosos que tenían mujeres blancas y niños blancos.

—¡Querida mía! —decía.

Y a instancias de su mujer se dirigía a la habitación donde estaba su hijo. No podía ver a aquel niño de labios gruesos, gris como el asfalto; pero lo cogía en brazos y procuraba simular que se le caía la baba, combatiendo con gran trabajo la tentación de tirarlo al suelo.

Tras no pocas vacilaciones, escribió a su madre noticiándole su matrimonio, y, con gran asombro, recibió una respuesta alegre. También ella estaba satisfecha de que su hijo fuera un hombre tan original y de que el propio director hubiera sido su padrino.

A los dos años de su boda, Kotelnikov murió del tifus. Momentos antes de morir hizo llamar al sacerdote. El cual, al ver a su mujer, acarició su espesa barba y lanzó un profundo suspiro. El también sentía cierta admiración por Kotelnikov, con motivo de su originalidad. Cuando se inclinó sobre el moribundo, este, haciendo acopio de todas sus fuerzas, exclamó:

—¡Aborrezco a ese diablo negro!

Sin embargo, un minuto después, como se acordase de su excelencia, del subsidio que le habían dado, de su subjefe, de Nastenka, y viese a su mujer llorar, añadió, con voz dulce:

—Me encantan las negras... Hay en ellas algo exótico.

Procuró iluminar su rostro con una sonrisa feliz, y con la sonrisa en los labios se fue al otro mundo.

La tierra le acogió indiferente, sin preguntarle si le gustaban o no le gustaban las negras, y mezcló sus huesos con los de otros muertos. Pero en los círculos burocráticos se habló todavía mucho tiempo de aquel hombre original, a quien volvían loco las negras y que encontraba en ellas algo exótico.

¡NO HAY PERDÓN!

Una estudiante. Muy joven, casi una niña. La nariz fina, linda, no formada aún completamente, como la de los niños, un poco arremangada; los labios también son infantiles, y parece que exhalan olor a bombones de chocolate. Los cabellos son tan abundantes y sedosos, cubren su cabeza de una manera tan graciosa, que al mirarlos se piensa sin querer en mil cosas amables: en el cielo azul sin nubes, en las canciones primaverales de los pajarillos, en el florecer de las lilas. Se piensa también, al admirar esta bella cabeza de muchacha, en los manzanos florecientes, bajo los que se busca sombra en un mediodía de verano, y que dejan caer sobre el sombrero, sobre los hombros y sobre los brazos pétalos delicados color de nieve y rosa.

Los ojos eran también juveniles, claros, tranquilos e ingenuos; pero examinándola de cerca se podían advertir en su rostro sombras ligeras de cansancio, indicios de alimentación insuficiente, de noches de insomnio, de largas veladas en cuartos pequeños y llenos de humo, donde se pasan las horas en discusiones interminables. Se pensaba también que sus mejillas habían conocido las lágrimas; lágrimas dolorosas y amargas. Había algo de nervioso y de inquietante en sus movimientos: el rostro era alegre y sonreía; pero el piececito, calzado con un chanclo deteriorado y sucio de barro, hería nerviosamente el suelo, como si quisiera acelerar la marcha del tranvía, que avanzaba muy despacio. Nada de esto se le había escapado a Mitrofan Vasilich Krilov, que poseía el don de la observación. Iba de pie en la plataforma del tranvía, frente a la muchacha. Por entretenerse, la contemplaba, un poco distraída y fríamente, como una fórmula algebraica sencilla y muy conocida que se destacase en la negrura del encerado. En los primeros momentos, la contemplación le divirtió, como a cuantos miraban a la muchacha; pero eso duró poco, y no tardó en caer de nuevo en su mal humor. No tenía motivos para estar contento. Al contrario. Volvía del liceo, donde era profesor, cansado, con el estómago vacío; el tranvía estaba repleto, y no había posibilidad de sentarse y leer el periódico. El tiempo era también execrable en aquel terrible mes de noviembre; la ciudad era fea y le disgustaba, así como toda aquella vida, que no valía más que el billete, desgarrado por un extremo, que llevaba en la mano. Todos los días hacía igual viaje: de su casa al liceo y del liceo a su casa. Podía contar los días por el número de billetes. Su vida era a modo de una larga cinta de billetes de tranvía, de la que se arrancaba uno cada veinticuatro horas.

No tardó en cansarse de contemplar a la muchacha, y la hubiera olvidado sin dificultad. Pero se hallaba frente a él, y no podía menos de mirarla de vez en cuando.

«Ha venido hace muy poco de la provincia —pensaba severamente—. ¿A qué diablos vienen aquí? Yo, por ejemplo, abandonaría con mucho gusto esta maldita ciudad y me iría a cualquier rincón. Naturalmente, ella se pirra por las conversaciones, por las discusiones; tiene sus ideas políticas y sociales. No estaría de más que se cuidase un poco del arreglo de su persona; mas no tiene tiempo de ocuparse en cosas tan mezquinas: ¡debe salvar a la humanidad! Es lástima, sobre todo siendo tan bonita.»

La muchacha advirtió las miradas severas de Krilov y se turbó. Se turbó de tal modo que la sonrisa desapareció de su rostro y fue reemplazada por una expresión de miedo infantil, mientras su mano izquierda, con un movimiento instintivo, se dirigía hacia su pecho, como si llevase algo escondido en el corsé.

«¡Tiene gracia! —se dijo Krilov, volviendo a otro lado los ojos y tratando de dar a su rostro una expresión de indiferencia—. Le dan miedo mis gafas azules; todas estas muchachas están seguras de que un hombre con gafas azules es un espía... Lleva probablemente proclamas escondidas en el corsé. En otro tiempo, las muchachas escondían cartas amorosas; ahora son proclamas y boletines revolucionarios lo que esconden. ¡Boletines! ¡Qué palabra más estúpida!»

Dirigió de nuevo, a hurtadillas, una mirada a la muchacha, y volvió en seguida los ojos. Ella le miraba, como mira un pájaro a una serpiente que se acerca, y apretaba la mano contra su costado izquierdo. Krilov se incomodó.

«¡Qué estúpida es! Me toma por un espía, a causa de mis gafas azules. No comprende que un hombre puede llevar gafas azules por estar enfermo de la vista. Es tan cándida, que se hace traición. ¡Y pensar que pretende salvar a la humanidad! ¡Necesita aún una niñera esta revolucionaria! No estamos en sazón todavía para la revolución. En vez de Lasalles, entre nosotros, se dedican los chiquillos a la política. ¡No sabe aún resolver un sencillo problema aritmético, y habla, sin duda, con aplomo, de cuestiones políticas, sociales, financieras! No estaría de más asustarla un poco; sería una buena lección para ella.»

Apenas había formulado en su interior tal pensamiento, tuvo una inspiración repentina. Era una idea inspirada por el cielo gris de noviembre, por el suelo fangoso, por el hambre que le atormentaba. Inmediatamente comenzó a ponerla en práctica.

Con un movimiento nada seductor bajó la cabeza, dio a su rostro una expresión desagradable y maliciosa, propia, a su juicio, de un espía, y lanzó una mirada severa y escrutadora a la muchacha. El resultado le satisfizo: la muchacha se estremeció de miedo, y sus ojos se llenaron de angustia.

«¡Vamos, pequeña! —pensaba, triunfante, Krilov—. Parece que huirías de buena gana; pero, ¿cómo? ¡Magnífico! ¡Espera, que aún hay más!»

Se iba interesando en el juego, encontrando en él un placer. Olvidaba su hambre y el mal tiempo, se dedicó a la imitación de un espía, con tanta habilidad como si fuera un verdadero artista, o como si en realidad estuviese al servicio de la Policía secreta.

Su cuerpo se tornó flexible como el de una serpiente; sus ojos adquirieron una expresión de alegría pérfida. Su mano derecha, que llevaba en el bolsillo, oprimía con toda su fuerza el billete, como si este fuera su revólver cargado con seis balas o un *carnet* de policía.

No solo la muchacha, sino muchos otros viajeros, comenzaron a desazonarse al mirarle: tan de espía era su apariencia. Un comerciante grueso y colorado que ocupaba él solo la tercera parte de la plataforma se estrechó de pronto, se hizo pequeñísimo y volvió la cabeza. Un hortera, debajo de cuyo gabán se veía un delantal blanco, miró a Krilov con ojos de conejo asustado, y, empujando a la muchacha, saltó del tranvía y desapareció entre la multitud.

«¡Muy bien!» —se cumplimentó a sí mismo Krilov, con el corazón lleno de la alegría pérfida de un enfermo del hígado. Había algo de pintoresco, de sugestivo, de agradablemente inquietante en esa renuncia a su propia persona, en representar un papel antipático, en que los demás le odiasen y le temiesen. En el fondo gris de la vida cotidiana se abrían a modo de abismos obscuros, llenos de misterio y de sombras movibles y mudas. Se acordó de la clase donde daba todos los días las lecciones, de la fisonomía de los alumnos, que no le inspiraban ya sino disgusto, de sus cuadernos azules, con manchas de tinta, sucios, llenos de faltas estúpidas, idiotas, que hacían aún más detestable la vida.

«Debe de ser una cosa muy interesante el oficio de espía —se dijo—. Un espía arriesga su vida tanto como un revolucionario. A veces, la práctica del espionaje cuesta la cabeza. He oído decir que mataron a un espía hace poco. Le degollaron como a un cerdo.»

Durante un minuto tuvo miedo y quiso renunciar al papel que se había propuesto representar; pero su oficio de profesor era tan odioso para él, tan monótono y aburrido, que le gustaba, aunque solo fuera por un rato, cambiar de pellejo.

La estudiante no le miraba ya, y, no obstante, su juvenil rostro, el lóbulo rosa de su oreja, que se veía bajo un bucle de sus cabellos ondulados; su cuerpo, un poco inclinado hacia delante; su pecho, que bajaba y subía anhelosamente, todo expresaba una angustia terrible y un deseo loco de huir. En aquel momento soñaba quizá con tener alas. Dos veces se movió un poquito, disponiéndose a descender, y, al sentir sobre sus mejillas ruborosas la mirada inquisitorial de Krilov, permaneció como clavada en su sitio, sin retirar la mano de la barandilla en que se apoyaba. Su guante negro, con un dedo algo descosido, temblaba un poco. Le daban vergüenza aquel guante y aquel dedo minúsculo, tímido, desamparado; pero no tenía fuerza para levantar la mano.

«¡Muy bien! ¡Muy bien! —pensaba Krilov—. Estoy muy contento. De buena gana huirías; ¡pero no, pequeña! Será una buena lección para ti. Esto te enseñará a ser más prudente. ¡La vida no es lo que tú te creías!»

Se imaginó la vida de aquella muchacha. Era tan interesante como la de un espía; pero había en ella algo que no conocían los espías: una arrogancia, una mezcla armónica de lucha, de misterio, de horror y de alegría... Era perseguida, y hay algo de singularmente delicioso en que un malvado, hostil y temible, tienda las manos aprehensoras a nuestra garganta y prepare, hilo por hilo, la cuerda para estrangularnos. ¡En tales momentos, el corazón late con tanta violencia, se ilumina la vida con una luz tan fúlgida y se la ama con tanto ardor!

Con disgusto, Krilov dirigió una mirada a su viejo gabán, al botón que colgaba con un pedazo de la tela; se imaginó su rostro amarillo y agrio, que detestaba, hasta el extremo de no afeitarse sino una vez al mes; sus ojos, con gafas azules, y se convenció, con un placer maligno, de que parecía, en efecto, un espía. Sobre todo, a causa de su botón colgante; los espías no tienen a nadie que pueda coserles los botones, y todos deben de llevar colgando del gabán un botón de que no pueden servirse.

Experimentó un sentimiento de soledad triste, propia solo de los espías. Una profunda melancolía invadió su corazón. El cielo, la vida, las gentes, todo se tornó a sus ojos sombrío, negro, al par que hondo, misterioso y lleno de sentido.

Trató de mirarlo todo con una mirada semejante a la de la muchacha. Y todo se le presentó bajo un aspecto nuevo.

No se había parado nunca a penetrar el significado del día y la noche; la noche misteriosa, engendradora de tinieblas, escondedora de hombres, silenciosa e inescrutable; ahora veía su aproximación callada; admiraba las luces que se encendían una tras otra; percibía algo de solemne en aquella lucha entre el resplandor y las sombras, y se asombraba de la calma de la multitud, que discurría por la calle sin darse cuenta, al parecer, de que la noche se acercaba.

La muchacha miraba ávidamente los rincones negros de las callejuelas, no alumbradas aún, y él seguía sus miradas y hundía la vista en esos corredores oscuros, que invitan, en la sombra, con una elocuencia misteriosa. La muchacha miraba con angustia a las altas casas, que estaban como defendidas por sus pilares de la calle, y él seguía siempre su mirada, y aquellas masas estrechas, aquellas malas fortalezas se le antojaban asimismo algo nuevo.

En una de las paradas, al final de un trayecto del tranvía, Krilov debía descender; pero la muchacha no lo hizo, y él le dijo en voz alta al conductor:

—Deme usted un billete hasta la parada próxima.

Le satisfizo mucho encontrar en su bolsillo una monedita de cinco kopeks para pagar el billete; se figuraba que los espías solo llevaban monedas de cobre o billetes de banco sucios, viejos, casi rotos; no se puede pagar a los espías en buen dinero; de lo contrario, serían gentes como las demás. El cobrador, silencioso, parecía también comprenderlo; al menos tomó la moneda con un desagrado tan visible que Krilov se indignó. Asestó contra el cobrador sus gafas, a modo de cañones, y se dijo, al recibir el billete:

«¡Me desprecias, canalla! Lo que no te impide robar a la Compañía. Os conozco a todos.»

Y empezó a imaginar cómo vigilaría al cobrador, le cogería en flagrante delito y, cuando menos lo esperase, le denunciaría a la Administración. Luego se dedicaría a vigilar a los demás cobradores, y los denunciaría a su vez.

La muchacha seguía allí siempre. No había que perderla de vista.

Escogiendo un momento favorable, apartó de la barandilla la mano del guante descosido, lo que le dio ánimos, y descendió presurosa del tranvía, en la esquina de una ancha calle, donde se cruzaban los rieles. Otros viajeros estaban también a punto de descender. Los había, al contrario, que subían. Una mujer delgada, que llevaba un gran envoltorio, impidió a Krilov la salida.

—¡Permítame usted! —le dijo él, tratando de abrirse paso.

Pero el sitio que dejaba libre el envoltorio era demasiado estrecho, y no podía pasar. Por el otro lado impedían el paso el conductor y el comerciante grueso y rojo. Este último fingía no darse cuenta de que Krilov quería descender.

—¡Pero déjeme usted pasar! —exclamó Krilov con cólera—. Conductor, ¿oye usted? ¡Reclamaré!

—¡Señor, haga el favor de dejar paso! —dijo el conductor, dirigiéndose al comerciante.

El cual miró a Krilov y se apartó un poco, tan poco, que el otro apenas pudo pasar, y hasta hubiera jurado que el comerciante le oprimía ex profeso con su voluminoso cuerpo. Sofocado, Krilov saltó, por fin, a tierra y empezó a correr, a la ventura en persecución de la muchacha.

La alcanzó en una estrechísima callejuela. Marchaba de prisa, dirigiendo miradas atrás. Al divisar a alguna distancia a Krilov, casi echó a correr, no disimulando ya el temor. Krilov apresuró también el paso. En aquella callejuela oscura y desconocida, donde solo se hallaban él y la muchacha, experimentó un malestar muy parecido al miedo.

«¡Hay que acabar!» —se dijo.

Sin embargo, siguió corriendo, casi ahogándose de fatiga.

La muchacha se detuvo a la puerta de una gran casa, con muchos pisos. Cuando se disponía a abrir, Krilov se acercó a ella y, sonriendo amistosamente, la miró a los ojos. Con la sonrisa quería decirle que la broma se había terminado y que ya no tenía nada que temer. Pero la muchacha, al entrar, le lanzó en pleno rostro, sofocada de cólera:

—¡Canalla!

Y desapareció. Un instante después divisó Krilov su silueta a través de los cristales.

Con su sonrisa amistosa en los labios, asió el picaporte y trató de abrir; pero al ver al portero junto a la escalera, retrocedió con lentitud. A algunos pasos de distancia, se detuvo y se encogió de hombros. Despojándose de las gafas, empezó a reflexionar. ¡Era estúpido todo aquello! La chicuela ni siquiera le había dejado abrir la boca para explicarse, y le había lanzado en pleno rostro el despectivo insulto. Debía, no obstante, comprender que solo se trataba de una broma. ¡Qué diablo de muchacha! ¡Como si verdaderamente le interesase con sus proclamas! Eso no era de su incumbencia. Que hicieran las locas chicuelas lo que les pareciese; le tenía completamente sin cuidado...

Se figuró que en aquel momento la muchacha refería a compañeros suyos de ambos sexos que un espía le había perseguido. Como es natural, se indignarían, murmurarían, cerrarían los puños. ¡Qué idiotas!

«¡Yo también he hecho mis estudios en la Universidad, y no soy inferior a vosotros, imbéciles!» —dijo casi en voz alta.

Tuvo calor, y se desabrochó el gabán; pero temiendo coger frío, se lo abrochó de nuevo.

«¡Sí; soy tan honorable como vosotros, jóvenes idiotas! Quizá más honorable. Soy un padre de familia que mantiene a ocho personas... Es de todo punto necesario poner fin a esta farsa. Hay que hacerles saber que tengo un diploma universitario y que odio a la Policía tanto como ellos. ¿Pero qué hacer? La muchacha ha desaparecido. No puedo esperarla aquí hasta mañana. ¡No faltaba más! Por otra parte, aún no he comido...»

Dio algunos pasos, volvió sobre ellos, miró la larga fila de ventanas iluminadas y continuó reflexionando:

«Apuesto cualquier cosa a que creen que soy, en efecto, un espía. ¡Idiotas! Hay que decirles que yo he sido también estudiante y he llevado melena como ellos. Me corto el pelo ahora, porque empieza a caérseme; pero eso no prueba que yo sea espía. Claro es que está uno más a salvo si lleva melenas de que le tomen por espía; pero ¿qué culpa tengo yo de que se me caiga el pelo? O, ¿acaso hay que llevar peluca... como un espía de verdad?»

Encendió un cigarrillo y lo tiró en seguida. No tenía ganas de fumar.

«Lo más sencillo sería entrar en su casa y decirles: Señores, ha sido una broma. Pero no, no lo creerían.

Y hasta es posible que me dieran una paliza.»

Se alejó cosa de veinte pasos y se detuvo nuevamente. El aire iba siendo más frío. Su gabán casi no le abrigaba. Al meterse la mano en el bolsillo, encontró el periódico. Casi estuvo a punto de llorar de rabia. Podía hallarse ya en su casa muy cómodo, haber comido, haber tomado el te calentito y estar tendido en el canapé, leyendo el periódico y sin la menor inquietud. Al otro día, sábado, se jugaba a las cartas en casa del inspector... Y en lugar de estar en su casa, tiritaba de frío allí, en aquella maldita callejuela, ante aquella maldita casa, albergue de estudiantes melenudos. ¿Qué había ido a hacer en tal sitio?

De repente, se abrió la puerta de la casa y se volvió a cerrar con violencia, después de dar paso a dos estudiantes.

Ambos, con paso rápido y resuelta actitud, se dirigieron hacia él.

Lleno de terror, huyó precipitadamente. Corrió a través de la niebla enloquecido, jadeante, atropellando a los transeúntes, tropezando con los faroles, los caballos, los coches. Se detuvo en una ancha avenida que le costó mucho trabajo reconocer.

Todo se hallaba alrededor desierto y silencioso. Caía una ligera lluvia. No se veía ya a los estudiantes.

Encendió con mano trémula un cigarrillo, y apenas se lo hubo fumado, encendió otro.

«¡Vaya una aventura! —se dijo—. Será un milagro que no me resfríe. Acaso la tuberculosis en perspectiva... Por fortuna, no me han dado alcance los estudiantes, aunque corrían de lo lindo. Uno no cesaba de gritar: «¡Alto!» ¡Era terrible!»

Tres estudiantes aparecieron a alguna distancia. Krilov los miró con ojos espantados y se alejó a toda prisa.

En cuanto llegó, en su carrera, a cierta callejuela angosta y tortuosa, se detuvo. ¿Iba a huir de todos los estudiantes de la ciudad? Además, sus perseguidores solo eran dos.

Volvió sobre sus pasos y no tardó en encontrarse de nuevo en la avenida. Se sentó en un banco y comenzó a considerar, con sangre fría, la situación.

«¡Sobre todo, calma! —se dijo—. No hay motivos para alarmarse. ¡Que se vaya al diablo la muchacha! Tanto peor para ella si me toma por un espía. ¿Qué me importa a mí? No me conoce, ni los estudiantes tampoco. Ni siquiera han podido verme la cara, pues me he levantado el cuello del gabán.»

Se reía ya un poco, regocijado por tal pensamiento, cuando, de súbito, una idea terrible puso fin a su regocijo.

«Pero, ¿y ella? ¡Ella me ha visto! ¡Durante una hora entera ha podido estudiar mi rostro, y si me encuentra en alguna parte...!»

Se imaginó toda una serie de posibilidades terribles.

Como hombre ilustrado, asistía a la Universidad siempre que se daban en ella conferencias interesantes, a los teatros, a los museos; y en todas partes se exponía a toparse con la muchacha, a quien, seguramente, saldría a acompañar toda una banda de estudiantes de ambos sexos, pues aquellas muchachas rara vez iban solas, y si le veía...

Krilov se estremeció de pies a cabeza.

Si le veía, se lo señalaría inmediatamente a toda su banda con el dedo, diciendo en alta voz: «¡Miradle, es un espía!»

«Tendré que dejar de llevar gafas y cortarme la barba —pensó Krilov—. Si pierdo la vista, ¿qué le vamos a hacer? Además, el médico quizá se engañe y puede que yo no necesite gafas. En cuanto a la barba... verdaderamente no me cambiará mucho el quitármela. Más que una barba, es una perilla insignificante. Ni siquiera se notará que me la he quitado.»

«¡Hasta mi barba crece menos que la de los demás! —pensó con disgusto—. Pero todo esto son tonterías. Aunque me reconozca, no hay por qué apurarse. Sería necesario probar que soy espía, probarlo serena, lógicamente, como se hace con los teoremas.»

Se imaginó una reunión de jóvenes de largos cabellos, ante la que él demostraba, con voz firme y tranquila, su inocencia. Todo era claro, convincente. Las frases se seguían en un orden perfecto, como fórmulas matemáticas unidas por signos de igualdad. «De esta suerte, señores, podrán ustedes advertir...»

Con una dignidad severa se pone bien las gafas y sonríe despectivamente. Después reanuda sus pruebas y se percata, con horror, de que la lógica y las fórmulas exactas están muy a menudo en contradicción con la vida; de que en la vida hay poca lógica y de que él no encuentra manera de demostrar que no es espía.

Si alguien —la muchacha, por ejemplo— le acusara de serlo, no habría en su vida nada preciso, claro y convincente que oponer a la acusación.

El terror invadió su alma. ¿Dónde estaban sus convicciones, su profesión de fe? Su espíritu se hallaba vacío, y no veía nada seguro sobre qué poder apoyarse para no caer en el fondo de aquel abismo negro, espantoso.

«Mis convicciones —balbuceó, imaginándose que se encontraba ante los jueces—. Todo el mundo conoce mis convicciones. Estoy convencido de que...»

Busca en los repliegues de su memoria algo claro, preciso, fuerte, y no encuentra nada. ¿Es posible que no tenga ni una convicción seria? «Estoy convencido, Ivanov, de que usted no ha estudiado su lección de aritmética.» ¡No, no es eso! Luego recuerda fragmentos de artículos de periódico, de discursos que ha oído; ¿pero qué piensa él? ¿Cuáles son sus convicciones? ¡No las tiene! Hablaba y pensaba como hablaban y pensaban los demás, y encontrar sus propias ideas, sus propias palabras, era tan imposible como encontrar en un montón de trigo un grano determinado. Sucede a veces que alguien dice algo fuerte, violento, que queda grabado en la memoria de los demás, aunque lo diga en estado de embriaguez o sin reflexionar.

No muchos años antes, el maestro de caligrafía de su colegio, un viejecito modesto y callado, en una comida en casa del director, como hubiera bebido algo más de lo justo, exclamó de repente: «¡Insisto en la necesidad de la reforma radical de la enseñanza!» Naturalmente, aquello provocó un escándalo. Desde entonces todo el mundo se acordaba de aquel incidente, y en cuanto veía al viejo, le preguntaba: «Bueno, ¿qué hay de las reformas?» Y todos le consideraban un hombre muy radical... ¿Y él, Krilov? Cuando bebía una copa de más, se dormía, o empezaba a llorar y abrazaba a todo el mundo. Una vez abrazó hasta al criado. Pero aun en estado de embriaguez se guardaba de decir nada excesivo, y no protestaba contra nada. En fin, hay hombres que creen en Dios y los hay que no creen. ¿Y él?

«Veamos. ¿Existe Dios? ¿Sí o no? No lo sé, no sé nada. ¿Y yo? ¿Existo yo?»

Krilov siente un escalofrío: ni siquiera tiene una idea clara de si existe o no existe. Alguien está sentado en un banco del bulevar y fuma; ¿pero es él, en efecto? Los árboles, la menuda lluvia que cae, los faroles encendidos, todo es incomprensible, desprovisto de sentido, misterioso.

Se levantó bruscamente y se fue.

«¡Tonterías! Son los nervios. Además, no se trata de convicciones, sino de actos. Sí, de actos; eso es lo esencial.»

Y tampoco recordó actos suyos. Era un empleado, un padre de familia; pero, ¿dónde estaban sus actos? ¿Qué había hecho? Buscó en los repliegues de su memoria, recorrió mentalmente los años pasados, como se recorre con los dedos el teclado de un piano, y los halló vacíos, desprovistos de sentido.

«¡Vamos, señorita! —balbuceó con la cabeza baja y gesticulando—. Es idiota creer que soy un espía. ¿Yo espía? ¡Qué insensatez! Voy a demostrárselo a usted. Mire usted, yo soy...»

Después, el vacío, la nada. ¿Qué podía decir en su favor? En su mundo se le consideraba un hombre inteligente, bueno, justo, y probablemente había motivos para ello.

No hacía mucho tiempo le había comprado un corte de traje a su suegra, y su mujer le había dicho: «¡Eres demasiado bueno!» Pero, ¿aquello probaba algo? Los espías también podían ser obsequiosos con sus suegras...

Sin darse cuenta, Krilov, automáticamente, volvió a la casa donde había entrado la estudiante, y ni siquiera lo advirtió. Solo sabía que era tarde, que estaba rendido y que tenía ganas de llorar, como un colegial castigado. Luego alzó los ojos, miró la casa y la reconoció.

«¡Sí, es la maldita casa! ¡Qué aspecto más desagradable!»

Se alejó con paso rápido, como de una bomba de dinamita, y poco después se detuvo y comenzó de nuevo a reflexionar.

«Lo mejor sería escribirle a esa muchacha. Naturalmente, sin firmar. En esta forma, por ejemplo: «Señorita, un hombre a quien ha tomado usted por un espía...» Y seguir así, punto por punto. Sería tonta si no me creyese.»

Volvió sobre sus pasos, llegó a la casa y, tras una corta vacilación, abrió con trabajo la puerta. Entró, con gesto decidido y severo. En el umbral de su habitáculo apareció el portero, sonriendo cortésmente.

—Escuche usted, amigo mío... Una joven estudiante acaba de entrar. ¿En qué piso vive?

—¿Por qué le interesa a usted?

Krilov lo miró de un modo significativo a través de sus gafas, y el portero comprendió en seguida; hizo con la cabeza un signo que daba a entender que adivinaba lo que llevaba allí a Krilov y le tendió la mano.

—¡Qué confianzudo! —se dijo Krilov; pero estrechó con fuerza la mano dura e inflexible como una plancha.

—¡Entremos en mi casa! —invitó el portero.

—¿Para qué? Yo solo quería...

Al ver que el portero entraba ya en su habitación, Krilov, apretando los dientes de rabia, lo siguió dócilmente.

«¡También me ha tomado por un espía este canalla!»

El habitáculo era reducidísimo. Solo había en él una silla, en la que se sentó el portero, sin ceremonia.

«¡Qué indecente! Ni siquiera me invita a sentarme!», pensó Krilov.

El portero lo examinó, con mucha calma, de pies a cabeza, con una mirada indiferente e insolente a la vez, y, tras un corto silencio, dijo:

—Anteayer vino también uno de ustedes... Uno rubio, con grandes bigotes. ¿Le conoce usted?

—¿No he de conocerle?... Rubísimo.

—Hay muchos como usted... que recorren las calles...

—¡Escuche! —protestó Krilov—. Todo eso me tiene sin cuidado. Solo vengo...

El portero no hizo caso de sus palabras y continuó:

—¿Cuánto cobra usted al mes? El rubio me dijo que cincuenta rublos. No es mucho.

—¡Doscientos! —dijo Krilov, observando con una alegría maligna que el rostro del portero expresaba casi el entusiasmo.

—¡Oh, doscientos! Eso es otra cosa... ¿Quiere usted un cigarrillo?

Krilov aceptó con reconocimiento el cigarrillo

que le tendía el portero, y echó de menos su pitillera japonesa, su gabinete de trabajo, los cuadernos azules de los colegiales que él debía corregir y que le parecían ahora tan gratos al alma.

Encendió el cigarrillo y casi sintió náuseas: el tabaco era desagradable, mal oliente. «Un verdadero tabaco de espía» —se dijo Krilov.

—¿Les pegan a ustedes con frecuencia? —preguntó el portero.

—Pero escuche...

—El rubio asegura que nunca le han pegado, y yo no lo creo. Es imposible que no les peguen a ustedes. Como no les rompen ningún hueso, no tiene importancia. Por doscientos rublos al mes, bien puede uno resignarse a eso. ¿Verdad?

El portero le miraba sonriendo amistosamente.

—Yo quería... —comenzó Krilov; pero el otro le interrumpió de nuevo:

—Naturalmente, no hay que tener pelo de tonto en su oficio de ustedes, y, además, es preciso que en la fisonomía no haya nada de extraordinario que llame la atención. He visto a un colega de usted en extremo desfigurado, con un ojo de menos...

—¡Vamos, vamos! —exclamó Krilov—. No tengo tiempo que perder. No me ha respondido usted aún.

Abandonando, con un disgusto manifiesto, aquel interesante tema, el portero preguntó cómo era la muchacha a quien se refería. Cuando el otro le hubo hecho una descripción de su exterior, dijo:

—Ya caigo. Es la señorita Ivanov. Viene a ver a sus amigos del tercero derecho... No deben tirarse las colillas al suelo; ¡no las barrerás tú después!

Cuando Krilov salía ya, oyó al portero despedirle con estas palabras:

—¡Atajo de gandules!

«¡Canalla!» —contestó mentalmente Krilov, acelerando el paso y buscando con la vista un coche. ¡En seguida, a casa! De pronto recordó que tenía su diario, y que en tal diario había escrito en cierta ocasión —hacía mucho tiempo, cuando era aún estudiante— algo muy radical, atrevido y bello. Con todo lujo de detalles acudió a su imaginación aquella velada inolvidable, y pensó en su cuartito, en el tabaco esparcido sobre la mesa, en el orgullo y el entusiasmo con que escribió aquellas líneas firmes y enérgicas... No tenía mas que arrancar las páginas y enviárselas a la muchacha. Ella las leería, y lo comprendería todo; pues, al fin, era una señorita inteligente y de corazón noble. ¡Al cabo había dado con la solución! ¡A casa en seguida! Además, tenía un hambre horrible...

Le abrió la puerta su mujer.

—¿Dónde has estado? —le preguntó llena de angustia—. ¿Qué te pasa?

Quitándose precipitadamente el gabán, el profesor dijo con cólera:

—Es un fastidio: la casa está llena de gente, y no hay nadie que me cosa el botón del abrigo.

Y se dirigió a su gabinete.

—¡Pero ven a comer! —le dijo su mujer.

—¡Déjame tranquilo! No me sigas.

Una vez solo, se puso a registrar con mano febril su biblioteca. Había en ella numerosos libros y papeles; pero el diario no aparecía. Como tropezase con un paquete de cuadernos de sus discípulos, lo rechazó indignado. Sentado en el suelo, buscaba nerviosamente en el cajón inferior del armario, lanzando suspiros de desesperación. ¡Por fin! ¡Allí estaba su diario! Un cuaderno azul, de escritura vacilante, ingenua... Algunas flores secas dentro, un ligero perfume... ¡Dios mío, qué joven era entonces!

Se sentó junto a la mesa y empezó a hojear el diario, sin encontrar lo que buscaba. Observó que algunas páginas estaban arrancadas. De pronto, se acordó. Hacía cinco años, con motivo de un registro practicado por la policía en casa de un colega suyo, se había asustado tanto que había arrancado de su diario las páginas comprometedoras y las había quemado. Asunto concluido; no había ya para qué buscar.

La cabeza baja, el rostro oculto entre las manos, permaneció inmóvil largo rato ante su diario devastado. La habitación estaba mal alumbrada por una bujía —no había tenido tiempo de encender la lámpara— y llena de sombras negras, inquietantes. En las habitaciones próximas jugaban los niños, gritando y riendo. Se oía el ruido de los platos en el comedor, donde hablaban, iban y venían; pero allí, en su gabinete, todo estaba en silencio como en un cementerio. Si un pintor hubiera visto aquel aposento oscuro y triste, con el montón de libros y de cuadernos por el suelo, con aquel hombre inclinado sobre la mesa, dolorosamente cabizbajo, hubiese pintado un cuadro titulado «A punto de suicidarse».

«Las páginas ardieron —pensó con dolor Krilov—; pero puedo acordarme de su contenido. Lo escrito en ellas existe; solo necesito recordarlo.»

Y lo intentó, sin encontrar en su memoria sino detalles insignificantes: la forma de las páginas arrancadas, la escritura, hasta los puntos y las comas. Lo esencial, lo principal, se había perdido para siempre y no resucitaría ya. Había vivido, y a la sazón ya no existía, como vive y muere todo sobre la tierra. Las bellas palabras habían desaparecido en el desierto vacío, infinito, y nadie las conocía, nadie las recordaba, en ningún corazón habían dejado huella alguna.

Era inútil llorar, implorar, suplicar de rodillas, amenazar, enfurecerse; con ello nada lograría. El vacío infinito permanecería mudo, impasible, pues no devuelve nunca nada de lo que devora. Nunca, ni lágrimas ni súplicas, han podido tornar a la vida lo que ha muerto. No hay perdón, no hay remedio; tal es la ley cruel de la vida. Sí, aquello había muerto. Él mismo había sido su asesino. Con sus propias manos había quemado las mejores flores que se habían abierto, en una noche santa, en su alma mísera y estéril. ¡Pobres flores perdidas! No tenían quizá la fuerza de una idea creadora; pero eran, con todo, lo más exquisito de su alma. Entonces no existían ya, y no se abrirían ya nunca. No hay perdón, no hay remedio; tal es la ley cruel de la vida.

No podía continuar solo.

—¡Macha! —gritó a su mujer.

Acudió inmediatamente. Su faz era redonda y bondadosa; su cabello, descuidado, tenía un color impreciso. Llevaba en la mano un traje de niño, que ella confeccionaba.

—Bueno, ¿vas a comer? Voy a decir que calienten la comida; todo está frío.

—No, espera... Tengo que hablarte.

Macha manifestó inquietud; puso sobre la mesa su labor y miró fijamente a su esposo. Este volvió los ojos.

—¡Siéntate! —dijo.

Ella se sentó, arregló su ropa, y con las manos sobre las rodillas se dispuso a escuchar. Como ocurría siempre, desde su infancia, cuando tenía que escuchar algo, puso al punto una cara estúpida.

—¡Te escucho!

Pero el profesor no decía palabra, y miraba con extrañeza el rostro de su mujer. Le parecía, en aquel instante, por completo desconocido, como el de un nuevo alumno que asistiese por primera vez a su clase. Se le antojaba absurdo que aquella mujer fuera su esposa. Una idea nueva, súbita, turbó su cerebro trastornado. En voz baja, murmurando, dijo:

—¿No sabes, Macha? ¡Soy un espía!

—¿Cómo?

—Soy un espía. ¿Comprendes?

Ella se quedó inerte en su asiento, y, con un gesto desesperado, exclamó:

—¡Ya me lo sospechaba! Lo había adivinado hace tiempo. ¡Dios mío, qué desgraciada soy!

Krilov se levantó de un salto, se acercó a ella y se puso a agitar furiosamente el puño cerrado ante su rostro, conteniendo a malas penas su deseo de golpearla.

—¡Qué bestia eres! ¡Qué idiota! —exclamó con voz tan furiosa que un silencio de muerte reinó en seguida en las habitaciones próximas—. ¿Lo crees, pues? ¿Lo creías hace mucho tiempo? ¿Es posible? Después de doce años que vivimos juntos... ¡Doce años! Y es mi mujer, la compañera de mi vida, a quien se lo doy todo... mis pensamientos, mi dinero...

Luego volvió la espalda y empezó a llorar. Ella no comprendía por qué lloraba: si por ser espía, en efecto, o por no serlo. Tuvo piedad de él. Se sintió, al mismo tiempo, ofendida por sus palabras, y empezó a llorar a su vez.

—Siempre lo mismo —dijo lloriqueando—. Siempre soy yo la culpable. ¿Para qué casarse con una idiota?

Krilov se volvió hacia ella y, airadísimo, balbuceó:

—¡Dios mío! ¡Doce años! Si mi mujer puede creer que soy en realidad espía... ¡Qué estúpida eres! ¡Qué idiota!

—Vamos, ¿quieres acabar con tus insultos? —protestó ella—. ¡Tú haces las porquerías, y luego soy yo la responsable!

Krilov se puso aún más furioso.

—¿Qué porquerías? ¿Crees que soy espía, pues? Di: ¿soy espía, o no lo soy?

—¿Como quieres que yo lo sepa? ¡Puede que sí!

Rabiosos, locos de odio y de cólera, los dos desgraciados siguieron cambiando durante largo rato insultos, llorando, gritando, jurando. Al fin, cansados, postradísimos, olvidada la ruda querella que acababa de tener lugar entre ellos, se sentaron uno junto a otro y comenzaron a hablar tranquilamente. Los niños se pusieron de nuevo a jugar y a hacer ruido en la habitación próxima. Confuso, evitando algunos detalles, Krilov refirió a su mujer su aventura con la joven estudiante, y manifestó sus temores de que la muchacha pudiera encontrárselo por casualidad.

—¿No es más que eso, pues? —gritó Macha tranquilizada—. ¡Y yo que me había figurado cosas terribles! No hay por qué atormentarse; no tienes más que afeitarte la barba y quitarte las gafas para que no te reconozca. Durante las clases puedes tener las gafas puestas.

—Sí, pero... eso no me cambiará mucho. Si al menos yo tuviese una buena barba... como los demás...

—No digas tonterías; tu barba es admirable. Lo he dicho siempre y lo repito.

El profesor experimentó un gran alivio. Abrazó a su mujer y le hizo cosquillas con la barba detrás de la oreja. A media noche, cuando Macha se fue a la cama y el silencio reinó en la casa, llevó a su gabinete un espejo y agua caliente, y empezó a afeitarse. Además de la lámpara se vio obligado a encender dos bujías; tanta luz le molestaba un poco. Habiéndose afeitado un lado de la barba, se miró fijamente a los ojos y se detuvo como paralizado. «¡Mira cómo eres!», se dijo como si mirase a otra persona.

Verdaderamente no era guapo; su rostro estaba envejecido, mustio, lleno de arrugas; sus ojos no tenían brillo; las gafas le habían dejado una señal roja en lo alto de la nariz. Había en su fisonomía un no sé qué de gris, de muerto, como si no fuera la de un hombre vivo, sino la mascarilla de un cadáver. No parecía ni un espía ni uno de los que los espías se dedican a perseguir.

—¡Mira cómo eres! —balbuceó Krilov.

¿Por qué tenía aquella cara estúpida? ¿Quién se había atrevido a dársela?

Una gruesa lágrima cayó de sus ojos. Apretando los dientes, se afeitó la otra mitad de la barba, y, tras una corta vacilación, se afeitó también el bigote. Se miró de nuevo al espejo. Al día siguiente todos se reirían al verle así. Y, sin embargo, en otro tiempo era muy otra aquella cara.

Con gesto decisivo, asió fuertemente la navaja, echó atrás la cabeza y, con suavidad, se pasó dos veces por la garganta el contrafilo de la hoja. No hubiera estado mal degollarse; pero no pudo.

—¡Cobarde! ¡Canalla! —dijo en alta voz y tono indiferente.

Su rostro en el espejo, aunque movió los labios, permaneció gris, muerto. Podía ser golpeado, escupido; permanecería siempre igual; guiñaría los ojos con mayor ligereza, y nada más.

Al día siguiente, todos se reirían de aquella cara: los colegas, los discípulos, los porteros. Su mujer se reiría también.

Hubiera querido encolerizarse, llorar, romper el espejo, hacer algo violento; pero su alma estaba vacía, sin vida. Solo deseaba una cosa: dormir. «Como he respirado demasiado tiempo el aire frío...», se dijo, bostezando. El otro, en el espejo, también bostezó.

Guardó la navaja, apagó la lámpara y las velas, y se dirigió a la alcoba.

No tardó en dormirse, hundida en la almohada la faz, aquella pobre faz, que al día siguiente haría reír a todos: a sus colegas, a sus discípulos, a su mujer y a él mismo.